고객이 반드시 물어보는 질문 30가지

손해보험 | **차량소유자 필수보험** | 차량소유자라면 누구나 가입해야 하는 보험
아는만큼 생활에 도움이 많이 되겠죠?
자동차보험의 궁금점을 모두 **해소**해 드립니다.

자동차보험

자동차보험

고반물질30은 **다모아미디어**의 고유자산으로 무단 전제·복제 및 임의 사용시 저작권법 위반으로 5년이하의 징역 혹은 5천만원 이하의 벌금형이 부과됩니다.

목차

1. 자동차보험은 왜? 가입하고 특징은?
2. 자동차보험 담보에 대해 설명해 주세요?
3. 대인배상 I 에 대해 설명해 주세요?
4. 대인배상 II 에 대해 설명해 주세요?
5. 대물배상에 대해 설명해 주세요?
6. 자기신체사고에 대해 설명해 주세요?
7. 자동차상해에 대해 설명해 주세요?
8. 무보험차상해에 대해 설명해 주세요?
9. 자기차량손해에 대해 설명해 주세요?
10. 자차비례면책금이 뭔가요?
11. 긴급출동서비스에 대해 설명해 주세요?
12. 자동차보험료는 어떻게 산출되나요?
13. 운전자범위특약이 뭔가요?
14. 가족운전자한정특약이 뭔가요?
15. 운전자연령특약이 뭔가요?
16. 보험가입경력요율이 뭔가요?
17. 교통법규위반경력요율이 뭔가요?
18. 개별할증 vs 특별할증이 뭔가요?
19. 과실상계,손익상계,기왕증,동승자감액에 대해서 자세히 설명해주세요?
20. 우량할인·불량할증이 뭔가요?
21. 보유불명 자차사고가 뭔가요?
22. 음주,뺑소니,무면허,마약,보복운전도 보상되나요?
23. 교통사고처리특례법이 뭔가요?
24. 동일증권[=종기일치]이 뭔가요?
25. 복잡한 할인특약을 정리해 주세요?
26. 추가가입시 유용한 특약을 정리해 주세요?
27. 자동차보험료를 절감하는 방법은?
28. 자동차보험 사고시 처리요령은?
29. 자동차보험의 보상절차는?
30. 자동차보험 산출의뢰서[예시]는?

첨부자료1 : 자동차보험 비교견적서
첨부자료2 : 과태료/범칙금/벌점

목차 [질문 1~10번]

1. 자동차보험은 왜? 가입하고 특징은?
2. 자동차보험 담보에 대해 설명해 주세요?
3. 대인배상 I 에 대해 설명해 주세요?
4. 대인배상 II 에 대해 설명해 주세요?
5. 대물배상에 대해 설명해 주세요?
6. 자기신체사고에 대해 설명해 주세요?
7. 자동차상해에 대해 설명해 주세요?
8. 무보험차상해에 대해 설명해 주세요?
9. 자기차량손해에 대해 설명해 주세요?
10. 자차비례면책금이 뭔가요?

자동차보험

질문 01 - 자동차보험은 왜? 가입하고 특징은?

 **자동차보험은 의무가입 보험이기 때문에 반드시 가입해야 한다.**
- 내가 아니어도 반드시 누구에게라도 가입해야 함
- 자동차도 사람과 같아서 한 번 등록되면 끝까지 등록을 유지
- 의무가입 보험으로 미가입시 과태료가 최대 90만원 [개인용경우]

 **자동차보험 고객에게서 장기보험 고객이 발굴되기 때문에 자동차보험은 꼭 취급해야 한다.**
- 자동차보험은 상품 특성상 타인[고객]과의 접점이 매우 빈번하게 일어나므로 장기적으로 고객발굴 최고상품

 **자동차보험은 남을 위해서는 완벽한 보험으로 자동차로 인한 나의 제 책임을 회피할 수 있다.**
- 대인 [무한], 대물 [최고10억까지] 가입함으로 책임회피 가능

 **온라인자동차보험에 가입하는게 유리하지 않나요?**
- 온라인으로 가입시 보험료가 저렴할 수 있으나 보험사고시 능동적 대처와 조언[?]을 해주기가 어려움

 **차량은 사람과 유사하게 차량을 등록하는 순간부터 차주[피보험자]를 끝까지 따라다닌다.**
- 차를 폐차, 타인에게 판매, 이전등록하기 전에는 어떠한 이유라도 자동차보험은 가입하고 있어야 한다.

 **자동차보험 만기시 보험료를 왜?비교해야 하나요?**
- 손해보험사별로 보험료가 자유화 되어 있어 만기시 반드시 비교하여 보험료를 절약할 필요가 있음

 **우리나라 자동차보험료가 비싸다고 생각하나요?**
- 외국에 비해 우리나라 자동차보험료는 평균이하로 저렴한 편임 [※외국에 경차를 타는이유? 보험료가 비싸서~~]

 **자동차보험 보상을 몰라도 판매가 가능할까요?**
- 보상은 보상담당자들이 별도로 보상업무를 대신해 주기때문에 걱정없이 자동차보험을 판매해도 됨

자동차보험

고반물질30은 다모아미디어의 고유자산으로 무단 전제·복제 및 임의 사용시 저작권법 위반으로 5년이하의 징역 혹은 5천만원 이하의 벌금형이 부과됩니다.

질문 02: 자동차보험 담보에 대해 설명해 주세요?

구분	담보범위	
대인배상 I [의무]	· 사망/부상/후유장애 : 1.5억/3천만/1.5억(1인당) [※의무보험 : 과태료 60만원]	
대인배상 II	· **무한** : 대인배상 I 의 보상금액을 초과하는 금액	
대물배상 [의무]	· **2천**/3천/5천만/1억/2억/3억/5억/10억원 중 택1 [※의무보험 : 과태료 30만원]	
자기신체사고 (자손)	· 1.5천/3천/5천만/1억원 중 택1 ※ **아래 자동차상해담보와 비교**	
※ **자동차상해 (자상)**	· 자기신체사고(자손)와 같은 개념, 자손이 상해급수별로 지급하는 반면 자동차상해는 본인부담 의료비를 **급수 관계없이 전액 지급**하기 때문에 자손보다 담보범위가 훨씬 넓은 담보	주〉 경상환자 보상제도 개편 : "본인과실부분 본인책임"으로 변경 '자손'보다 '자동차상해'로 적극가입 권유
무보험차상해	· 2/5/7억원 중 택1 ※ **타차운전특약(=다른자동차운전담보특약)포함**	
자기차량손해	· 차량가입금액 한도 · **본인부담[차량손해액*20%+∝]**, 자기부담금 50/100/150/200만원 중 **택1**	
긴급출동서비스	· 긴급견인,비상급유,배터리충전 등 10가지의 긴급출동서비스 제공 (※ **1년간 5~6번 사용**가능 : 횟수 초과시 실비지급)	

자〉 경상환자 보상제도 개편

현행
자동차 사고발생시 과실 정도와 무관하게 상대방 보험사에서 치료비 전액을 지급

개선
경상환자의 경우 치료비 중 본인과실부분은 본인보험으로 처리

□ **경상환자 기준**
① 중상환자 (1~11등급)를 제외한 자
② 12~14등급 해당자

□ **적용대상**
① 중상환자를 제외한 경상환자에 한해 도입
② 4주까지는 진단서 없이 보장
③ 4주초과시 진단주수 기준으로 지급
※ 보행자(이륜차,자전거 포함)는 적용 제외

□ **주요변경내용**
① 경상환자 치료비(대인2) 과실책임주의 도입
② 경상환자 장기 치료시 진단서 제출 의무화

□ **적용방식**
① 기존처럼 치료비 우선 전액지급 함
② 이후 본인 과실 부분 환수
③ 본인보험(자손 또는 자상) 또는 자비로 처리

질문 03: 대인배상 I 에 대해 설명해 주세요?

 특징

- **의무가입** : 강제보험 = 책임보험 = 1.5억
- **과태료** : 미가입시 10일까지 1만원+1일당 4천원 [최고 60만원]
- **피보험자구제/계약해지제한/피해자직접청구권** [자배법 : 대인 I]
- **장해등급별** 지급 [의무보험 보상한도]

□ **피보험자구제** : 상대 가해차량으로 부터 보상받을 수 없는 경우 국가에서 최소 의무보험만큼은 구제 받을 수 있는 제도
□ **계약해지 제한** : 의무보험이라서 자동차 양도, 등록말소, 중복 계약에 의한 해지, 폐차 등의 경우에만 해지 가능
□ **피해자직접청구권** : 피해자가 보험금 등을 가해자 보험사(공제)에 직접 청구 할 수 있는 권리(사고발생일로부터 3년내 청구가능)

 급수별 보험금

단위 : 만원

구분	1급	2급	3급	4급	5급	6급	7급	8급	9급	10급	11급	12급	13급	14급
사망	1억5천만													
부상	3000	1500	1200	1000	900	700	500	300	240	200	160	120	80	50
후유장애	15000	13500	12000	10500	9000	7500	6000	4500	3800	2700	2300	1900	1500	1000

※ **자동차 손해배상 보장사업 [정부보장사업, 1544-0049, 손해보험협회]**
뺑소니, 무보험차 사고로 사망 또는 부상당한 피해자가 어디에서도 보장 받지 못할 경우 정부에서 보상 하는 사회보장 제도

보상대상	□ 보유자를 알수 없는 자동차(뺑소니)에 의한 사고 피해자 □ 의무보험(책임보험 또는 공제)에 미가입한 자동차에 의한 사고 피해자 □ 도난(또는 무단운전)자동차에 의한 사고피해로 자동차 보유자로부터 손해배상을 받지 못한 경우
신청기한	□ 손해의 발생을 안 날(통상 사고발생일)로부터 3년이내
신청서류	□ 교통사고 사실확인원(경찰서발급) □ 진단서, 치료비 영수증(또는 명세서) □ 기타 손해를 입증하는 서류, 위임장등
보상항목	□ 위자료, 치료비, 휴업손해액, 상실수익액(사망, 후유장애시)등 지급, 보험업법에 따른 책임보험 약관상 보험금 지급기준

질문 04: 대인배상 II 에 대해 설명해 주세요?

자동차보험

대인배상 I 초과손해를 보상 : 1인당 5천만원, 1억, 2억, 3억, **무한** 중 선택

보상내용 (※ 육체노동자가동연한 60세→65세로 상향조정됨 : 19년5월부터)

□ 사망보험금
① **장례비** : 장례에 소요된 비용 **500만원**(과실상계)
② **위자료** : 사망자 20~65세미만 : 8,000만 / 20세미만, 65세이상 : 5,000만원
③ **상실수익액** : (월평균 현실소득액(정년이후 65세까지)-생활비)*취업가능 월수 라이프닛쯔계수 [※단, 농업인·어업인 종사자는 70세까지]

□ 부상보험금
① **구조수색비** : 사회통념상 필요 타당한 **실비** 인정
② **치료관계비** : 입원료, 응급치료비, 호송비, 진찰료등 치료에 소용되는 비용
③ **위자료** : 청구권자 : 피해자본인 부상 1급(200만원)~부상14급(15만원)
④ **휴업손해** : (1일수입감소액 X 휴업일수 X **85**/100)
⑤ **간병비** : 1일 일용근로자 임금기준 지급 / 1~2급(60일), 3~4급(30일), 5급(15일)
⑥ **기타 손해배상금** : 입원 (1끼당 4,030원), 통원 (실제 통원일수 X 8,000원)

□ 후유장애보험금
① **위자료** : 노동능력상실률에 따라 피해자 본인에게 지급
② **상실수익액** :
   월평균현실소득액 X 노동능력상실률 X 노동능력상실기간의 라이프닛쯔계수
③ **가정간호비** : 해당 전문의로부터 노동능력상실률 100%의 후유장해 판정을 받은자 (일시금 또는 매월 정기금으로 지급)

사망보험금[예시]

[질문]
- 사망자 : 대학생(무직자), 취업가능연한 65세
- 사고/사망일자 : 2020.4.27.
- 생년월일 : 1998.08.15.
- 월평균현실소득액 : 2,724,000원
- 피해자과실 : 0%
- 취업가능월수해당라이프닛쯔계수(520개월) : 212.3818

[답변]
① 장례비 : 5,000,000원
② 위자료 : 80,000,000원
③ 상실수익액 : 387,615,600원
   (소득*라이프닛쯔계수*생활비율 67%)
   = 2,724,000*212.3828*67%

①+②+③ = 472,615,600원

□ 대인배상 I : 150,000,000원 지급
□ 대인배상 II : 322,615,600원 지급

질문 05 **대물배상** 대해 설명해 주세요?

 **대물배상** : 타인의 자동차나 재산상의 피해를 입힐 경우 [의무배상책임]

 **보상내용**

- 보험가입금액: 1사고당 **2천**[의무가입금액], 3천, 5천, 1억, 2억, 3억, 5억, 10억중 선택
- **과태료** : 미가입시 10일까지 5천원+1일당 2천원 [최고 30만원]

① **수리비** : 수리비와 **열처리도장료** 합계는 가액의 **120% 한도**로 지급

② **렌트비[대차료]** :
 - 렌트○ : 렌트비, 렌트X : 렌트비*35% (※자차 : 렌트 담보X --> 특약가입시 가능)
 - 수리 가능 : 25일 한도(단, 수리시간이 160시간 이상일때 30일 인정), 수리 불가능 : 10일 인정

③ **휴차료** : [1일 영업수입 - 운행경비] * 휴차기간(30일한도, 수리불가시 10일 인정)

④ **영업손실** : 사업장 또는 시설물 파괴로 **휴업시**(30일 한도 인정)

⑤ **자동차시세하락손해 [=격락손해]** : 수리비용이 차량가액의 20%초과시
 - 출고 1년이하 차량 : **수리비의 20%**
 - 출고 1년이상~2년이하 차량 : **수리비의 15%**
 - 출고 2년이상 5년이하 차량 : **수리비의 10%**

질문 06: 자기신체사고에 대해 설명해 주세요?

자동차보험

 **자기신체사고** : 본인 또는 가족[부모, 배우자, 자녀]이 사고로 죽거나 다쳤을 경우

 **보상내용**

- **사망** : 1인당 1천5백만원, 3천만원, 5천만원, 1억원 중 선택
- **후유장애** : 1인당 1천5백만원, 3천만원, 5천만원, 1억원중 "장애등급별 보상"
- **부상** : 1인당 1천5백만/3천만/5천만/1억(KB손보만)원 한도내 "부상등급별 보상"

단위 : 만원

구분	1급	2급	3급	4급	5급	6급	7급	8급	9급	10급	11급	12급	13급	14급
부상	1500	800	750	700	500	400	250	180	140	120	100	60	40	20
	3000	1600	1500	1400	1000	800	500	360	280	240	200	120	80	40
	5000	2700	2500	2300	1650	1300	800	600	450	400	300	200	150	60
	10000	5400	5000	4600	3300	2600	1600	1200	900	800	600	400	300	120
후유장애	1500	1350	1200	1050	900	750	600	450	360	270	210	150	90	60
	3000	2700	2400	2100	1800	1500	1200	900	720	540	420	300	180	120
	5000	4500	4000	3500	3000	2500	2000	1500	1200	900	700	500	300	200
	10000	9000	8000	7000	6000	5000	4000	3000	2400	1800	1400	1000	600	400

※ 부상 1억은 KB손해보험에만 있음

※ **자기신체사고** : 본인부담 의료비 **급수별 지급** [부상의료비가 100만원이 들어도 14급이면 20만원만 나옴]

질문 07 : 자동차상해에 대해 설명해 주세요?

 **자동차상해** : 본인부담 의료비 **급수 관계없이 전액 지급**

자손 대신 '**자동차상해**'를 '**잘 활용**'하면 보험금이 **몇배**로 **차이**가 납니다.

 **자기신체사고 vs 자동차상해 비교** : 사고사례 예시

예시) 단독사고로 다발성늑골 골절 혈흉 또는 기흉이 동반된 상해로 대학병원에서 수술하지 않고 병원비 약1,500만원과 1인실에 1달간 입원시(1인당), 자동차보험 부상급수 7급인 경우

구분		자기신체사고 [부상1500만가입]	자동차상해 [부상5천만+특약추가시]
병원비		[7급] 250만원	약1,500만원
입원일당		없음	30일 입원시 약180만원
위자료		없음	부상급수 7급 40만원
향후치료비		없음	상황에 따라 달라짐 약200만원
성형수술비용		없음	성형수술 필요시 약500만원
간병비		없음	1급~5급 발생시 163~653만원
특약	상급병실료	없음	500만원
	상해간병비	없음	7급 100만원
총보험금		250만원 한도	약3,070만원

※ 요추, 경추염좌시 과거는 8급 180만원에서 현재는 12급으로 최고 60만원 한도임
※ 자동차상해도 부상가입금액을 가입시 반드시 5천만원이상으로 가입해야 함

〈출처 : 보험밴드 백승기님 자료 참고〉

자손 VS 자상

자기신체사고	자동차상해
단독 사고 시(본인과실100%)	**단독 사고 시(본인과실100%)**
부상시 상해급수에 따라(회사별상이) 자손 부상급수 한도 내 **치료비 보상**	**부상시** 부상가입금액한도 내 부상급수 상관없이 대인배상으로 산출한 실제 손해액을 보상 **병원비+위자료+휴업손해**
쌍방과실 사고 시	**쌍방과실 사고 시**
① 상대방 대인보상 먼저 받고 (본인 과실분 공제한 경우) ② 본인 자손 부상급수 한도내 실제 손해액에서 공제된 위자료와 휴업손해 보상	① 상내방 대인보상 먼저 받고 (본인 과실분 공제한 경우) ② 본인 부상가입금액한도내 실제 손해액에서 공제된 위자료와 휴업손해 보상
과실비율 다툼 시	**과실비율 다툼 시**
선보상 처리 **불가**	**선보상** 처리 **가능**

경상환자 보상제도 개편(23년)
"과실책임"으로 변경

'자손'보다 '**자동차상해**'로 적극가입

질문 08: 무보험차상해에 대해 설명해 주세요?

자동차보험

 **무보험차상해** : 무보험차나 뺑소니차에 의해 죽거나 다친 경우 : **1인당 2/5/7억원**

 **'다른자동차운전'담보** [**=타차운전특약** : 무보험차상해 가입시 **자동담보**]

1. **가입대상** : "무보험차상해담보" 가입시 **자동적**으로 **적용**
2. **보상하는 손해** : ⓐ 대인Ⅱ [책임보험제외] ⓑ 대물 ⓒ 자기신체사고(자동차상해) [※대인Ⅰ, 자차는 면책]
   [만약, "다른자동차**차량손해**담보"를 가입하게 되면 '다른자동차운전담보'에서 면책인 자차도 보상가능

   ※ 비교필수 : '다른자동차**차량손해**'담보
   ① '다른자동차운전담보'에서 면책인 자차도 보상 가능
   ② 내가 운전한 '다른자동차'도 내가 가입한 자차한도에서 전부 보상가능(※단, 현재는 대물가입한도)
   ③ '다른자동차'에 생긴 손해액에서 30만원 공제후 가입금액한도로 보상 [※보험사별 상이]
   ④ '10인승이하 & 7일이하로 빌린 렌터카에도 적용 [※보험사별 상이]

3. **보상하지 아니하는 손해** : ⓐ 보험증권에 기재된 운전가능 범위외의 자 ⓑ 무면허 또는 음주운전 ⓒ 기타 '면책사항'
4. **피보험자** : 기명피보험자와 기명피보험자의 배우자
5. **끼리끼리** : 약관에서 정한 동종의 차종끼리(승용=승용, 승합=승합, 1톤화물=1톤화물)

차량종류	세부내용
승용차	법정승차정원 6인이하의 승용자동차
다인승승용차	법정승차정원 7인이상 10인이하의 승용자동차
경승합자동차	배기량 1,000cc미만이고, 법정승차정원이 10인이하인 승합자동차
3종승합자동차	법정승차정원 11인이상 16인이하의 승합자동차
경화물자동차	배기량 1,000cc미만의 화물자동차 / 길이3.6M,너비1.6M,높이2M이하 전기자동차
4종화물자동차	적재정량 1톤이하인 화물자동차

고반물질30은 다모아미디어의 고유자산으로 무단 전제·복제 및 임의 사용시 저작권법 위반으로 5년이하의 징역 혹은 5천만원 이하의 벌금형이 부과됩니다.

질문 09: **자기차량손해**에 대해 설명해 주세요?

 **자기차량손해** : 피보험자동차가 **파손, 도난, 천재지변[태풍, 홍수등]** 경우 가입금액만큼 보상

피보험자동차가 **파손** 또는 **도난**된 경우 차량가액 (중고시가)만큼 **자기부담금**을 **제외**하고 **보상**
[※ **자기부담금** : 사고금액의 20%, **물적할증 기준**에 따라 **최저 5만 ~ 최고50만원**]

 **보상항목** : 청약시 기재시 보상 [명기]

- □ **청약서 기재시 보상** : 무선전화기, TV, 오디오, 방송장비, 특수장비, 네비게이션, 블랙박스 등
- □ **청약서 기재 안 해도 보상** : 라디오, 시계, 스페어타이어, 표준공구, 소화기, 운임미터기, 오일류 등

 **특이사항** : 자동차에 장착되어 있는 부분품, 부속품, 부속기계장치만의 일부 도난손해는 면책

- □ **도난손해** : 경찰서에 도난신고 **30일 경과후** 보험금 청구(※**일부도난 : 면책**)
- □ **렌트비 지원** : **없음**(특약가입시 렌트비 가능) **[cf. 대물배상 : 렌트비 지원됨]**

고반물질30은 다모아미디어의 고유자산으로 무단 전제·복제 및 임의 사용시 저작권법 위반으로 5년이하의 징역 혹은 5천만원 이하의 벌금형이 부과됩니다.

질문 10: 자차비례면책금이 뭔가요?

구 분	물적사고할증기준금액	할증기준
자차 자기부담금	**비례형 [자차손해액의 20%]** 최고/최저한도 존재 | 구분	물적사고 할증기준 금액 |||| |---|---|---|---|---| | | 50만 | 100만 | 150만 | 200만 | | 최고 | 50만 |||| | 최저 | 5만 | 10만 | 15만 | 20만 |	▫ **할증기준** ① 할증기준금액 **초과** ② 할증기준금액 **미달** : 건수 **2건이상**시 ▫ **할증기간 : 3년간** 유지

자동차보험

사례 : 할증기준금액이 200만원 경우

[사례1] 자차수리비가 130만원인 경우
 → 26만원(130만원X20%)

[사례2] 자차수리비가 80만원인 경우
 → 20만원(80만원X20%)

[사례3] 자차수리비가 300만원인 경우
 → 50만원(300만원X20%)

[사례4] 고객과실이 70%인 차대차 사고로 자차 수리비가 200만원인 경우
 → 28만원(200만원X20%X고객과실70%)

사례 : 할증기준금액이 50만원 경우

[사례1] 자차수리비가 130만원인 경우
 → 26만원(130만원X20%)

[사례2] 자차수리비가 80만원인 경우
 → 16만원(80만원X20%)

[사례3] 자차수리비가 300만원인 경우
 → 50만원(300만원X20%)

[사례4] 자차수리비가 20만원인 경우
 → 5만원(20만원X20%)

고반물질30은 다모아미디어의 고유자산으로 무단 전제·복제 및 임의 사용시 저작권법 위반으로 5년이하의 징역 혹은 5천만원 이하의 벌금형이 부과됩니다.

목차 [질문 11~20번]

11. 긴급출동서비스에 대해 설명해 주세요?

12. 자동차보험료는 어떻게 산출되나요?

13. 운전자범위특약이 뭔가요?

14. 가족운전자한정특약이 뭔가요?

15. 운전자연령특약이 뭔가요?

16. 보험가입경력요율이 뭔가요?

17. 교통법규위반경력요율이 뭔가요?

18. 개별할증 vs 특별할증이 뭔가요?

19. 과실상계, 손익상계, 기왕증, 동승자감액에 대해서 자세히 설명해주세요?

20. 우량할인 · 불량할증이 뭔가요?

고반물질30은 다모아미디어의 고유자산으로 무단 전제·복제 및 임의 사용시 저작권법 위반으로 5년이하의 징역 혹은 5천만원 이하의 벌금형이 부과됩니다.

질문 11: 긴급출동서비스에 대해 설명해 주세요?

자동차보험

긴급출동서비스는 아래와 같이 10가지 정도이며 종류가 더 많은 '**고급형**'도 있음

긴급조치

| 긴급구난 | 잠금장치해제 | 긴급견인 | 긴급주유 | 배터리충전 | 타이어펑크수리 |

교환/교체

| 타이어교체 | 휴즈교환 |

기타/보충

| 부동액보충 | 엔진과열긴급조치 |

질문 12: 자동차보험료는 어떻게 산출되나요?

납입할 보험료 = 기본 보험료 × 특약 요율 × 가입자 특성요율 (보험가입경력요율 ± 교통법규위반경력요율) × 특별 요율 × 우량할인·불량할증 요율 × 사고건수별 특성요율

구 분	내 용
기본보험료	차량의 종류, 배기량, 용도, 보험가입금액, 성별, 연령, 사고건수 등에 따라 미리 정해놓은 기본적인 보험료
특약요율	운전자의 연령범위를 제한하는 특약, 가족으로 운전자를 한정하는 특약등 가입 시에 적용하는 요율
가입자특성요율	보험가입기간이나 법규위반경력에 따라 적용하는 요율
특별요율	자동차의 구조나 운행실태가 같은 종류의 차량과 다른 경우 적용하는 요율 ① 수반차(90%) : 원동기 장치가 없는 것으로 견인차에 의하여 견인되는 차량(트레일러, 세미트레일러, 풀트레일러)"에 적용 ② 기중기 또는 붐(boom)장치(120%) : 구난형자동차, 사다리차 등의 자동차(건설기계 제외)에 적용 ③ 도난방지장착자동차(95~99.3%) : 도난방지장치(도난경보기, 이모빌라이져, GPS, 내비게이션, 모젠)를 부착한 차에 적용 ④ 스포츠형자동차(130~150%) : 스포츠형 승용자동차 등에 적용 ⑤ 안전장치장착자동차(95~98%) : 도난시 무선통신망을 활용하여 도난차를 회수할 수 있도록 신호발생기를 설치한 차량에 적용 ⑥ 운전교습, 도로주행교육 및 시험용 자동차(95~98%) : 운전교습, 도로주행교육 및 시험용 자동차에 적용 ⑦ 위험물적재자동차(130%) : 화약류, 고압가스, 기타 폭발성, 인화성 등 위험물질을 적재하는 자동차에 적용 ⑧ 기타 : 상기 외에도 수많은 특별요율 적용차량 존재
우량할인·불량할증요율	사고발생 실적에 따라 적용하는 할인·할증요율
사고건수별 특성요율	직전 3년간 사고유무 및 사고건수에 따라 적용되는 요율

고반물질30은 다모아미디어의 고유자산으로 무단 전제·복제 및 임의 사용시 저작권법 위반으로 5년이하의 징역 혹은 5천만원 이하의 벌금형이 부과됩니다.

질문 13

운전자범위특약이 뭔가요?

자동차보험

 자동차를 '운전자의 범위를 제한'함으로서 '보험료가 할인'되는 특약

 **운전자범위특약** 구성 [※ 보험사마다 범위특약이 다를 수 있음]

운전자범위한정특약에 가입하시면 한정된 범위 이외의 사람이 자동차를 운전하다가
사고가 발생한 경우 보상 받지 못하게 되므로 반드시 가입 전 확인이 필요함

고반물질30은 다모아미디어의 고유자산으로 무단 전제·복제 및 임의 사용시 저작권법 위반으로 5년이하의 징역 혹은 5천만원 이하의 벌금형이 부과됩니다.

질문 14

가족운전자한정특약이 뭔가요?

[동거불문]

- □ 법률상·혼인관계상 : 사위, 며느리, 자녀
- □ 형제자매/손자손녀/조부모는 제외 [아래위 1대까지만 가족한정]
- □ **자동차보험**에서는 **형제자매가 사위며느리보다 못하다** ^^

고반물질30은 다모아미디어의 고유자산으로 무단 전제·복제 및 임의 사용시 저작권법 위반으로 5년이하의 징역 혹은 5천만원 이하의 벌금형이 부과됩니다.

질문 15

운전자연령특약이 뭔가요?

자동차보험

 자동차를 운전자의 '나이를 제한'함으로서 '보험료가 할인'되는 특약

 운전자연령특약 구성 [※ 보험사마다 범위특약이 다를 수 있음]

운전자연령한정특약에 가입하시면 한정된 나이 이외의 사람이 자동차를 운전하다가 사고가 발생한 경우 보상 받지 못하게 되므로 반드시 가입 전 확인이 필요함

전연령 / 만21세 이상 / 만24세 이상 / 만26세 이상 / 만28세 이상 [KB손보만] / 만30세 이상 / 만35세 이상 / 만38세 이상 / 만43세 이상 / 만48세 이상 / 만54세 이하 등

고반물질30은 다모아미디어의 고유자산으로 무단 전제·복제 및 임의 사용시 저작권법 위반으로 5년이하의 징역 혹은 5천만원 이하의 벌금형이 부과됩니다.

질문 16

보험가입경력요율이 뭔가요?

 **가입자특성요율** : '보험가입경력요율 ± 교통법규위반경력요율'

 **보험가입경력요율** [※ 보험가입 경과기간 적용]

□ **자기를 보험자**로 하여 과거 **자동차보험에 가입한 경과기간**에 따라 적용

□ **2개이상**의 보험기간이 **중복**될 경우 **하나의 기간**으로 **적용**

□ **기타 보험가입경력** 인정

　① **관공서** 및 **법인체** 등에서 **운전직 근무기간**

　② **외국**에서의 **보험가입경력**

　③ **군**에서 **운전병**으로 **근무한 경력**

□ **요율적용**방법 : **보험회사별 자율** 적용

■ 보험가입경력요율

보험가입경력 기간	요율(%)
최초~1년미만	151.8%
1년이상~2년미만	119.4%
2년이상~3년미만	106.4%
3년이상	**100%**

※ 중고차연식과 차종에 따라 '보험가입경력요율'이 달라질 수 있다.

질문 17

교통법규위반경력요율이 뭔가요?

 **교통법규위반경력요율** : 교통법규위반 실적을 평가하여 할인·할증하는 요율 [※회사별 자율]

자동차보험

구분		적용대상 법규위반(도로교통법)	경력요율
할증그룹	1그룹	무면허운전, 뺑소니 주취운전금지 : 1회 주취운전금지 : 2회이상	20% 10% 20%
	2그룹	신호지시위반,중앙선우측통행,속도제한(구분없이),보행자보호위반 : 2회~3회, 어린이·노인·장애인보호구역내 제한속도 20km/h 초과 속도위반 : 1회	5%
		신호지시위반,중앙선우측통행,속도제한(구분없이),보행자보호위반 : 4회이상 어린이·노인·장애인보호구역내 제한속도 20km/h 초과 속도위반 : 2회이상	10%

기본그룹		1. 신호지시위반,중앙선우측통행,속도제한(구분없이),보행자보호위반 : 1회이상
		   (어린이·노인·장애인보호구역내 제한속도 20km/h 이내 속도위반 포함)
		2. 통행구분 3. 차로에 따른 통행 4. 일반도로 버스전용차로통행 5. 안전거리확보
		   및 진로변경금지 6. 앞지르기방법 및 금지등 7. 철길건널목 통과방법
		8. 승객추락방지 9. 안전운전의무 10. 노상시비등으로 차마통행방해
		11. 어린이통학버스 특별보호 12. 어린이통학버스 운전자의무 13. 운전면허증 제시
		14. 고속도로 갓길통행 및 버스전용차로·다인승전용차로 통행금지
		15. 기타 할증 및 기본그룹 이외의 교통법규위반으로 면허취소·정지의 행정처분
		16. 정차·주차위반에 대한 조치 불응(3회이상 불응하고 교통방해)
		17. 운전 중 휴대전화 사용, 영상표시, 영상표시장치 조작
		18. 도로통행중 차마에서 밖으로 물건을 던지는 행위
			0%

할인그룹		할증 및 기본그룹 이외의 경우	-0.4%

※ 할증대상 **법규위반**이 중복될 경우라도 **최대 20%까지만 할증** ※ **할인할증** : 범칙금과는 무관, 벌점을 받을 시만 적용
※ 할인율이 할증율보다 적은 이유는 법규위반자보다 법규준수자가 많기 때문

고반물질30은 **다모아미디어**의 고유자산으로 무단 전제·복제 및 임의 사용시 저작권법 위반으로 5년이하의 징역 혹은 5천만원 이하의 벌금형이 부과됩니다.

질문 18: 개별할증 vs 특별할증에 대해서 설명해주세요?

개별할증 [사고내용별 점수]

구 분	사 고 내 용			점수
대인사고	사망사고			건당 4점
	부상사고	1급		
		2급 ~ 7급사고		건당 3점
		8급 ~ 12급사고		건당 2점
		13급 ~ 14급사고		건당 1점
자기신체사고, 자동차상해 [등급·인원수 관계없이] 한사고당				건당 1점
물적사고	물적사고할증기준금액 초과 사고 & 자차보상금 1억 초과시			건당 2점
	물적사고할증기준금액 초과 사고 & 자차보상금 1억 이하시			건당 1점
	물적사고할증기준금액 이하 사고			건당 0.5점

개별할증 [사고원인별 점수]

사 고 원 인	점수
음주, 약물, 무면허 운전	건당 3점
뺑소니	건당 3점
범죄 행위	건당 3점
음주운전 (알콜농도 0.03% 미만)	건당 1점
12대 중과실 (신호위반, 중앙선침범, 과속 등)	건당 1점

특별할증 : 각 그룹별 최고할증률 한도 내에서 특별할증을 부과할 수 있음

구 분	대상계약	최고할증률
A그룹	1. 위장사고 야기자 2. 자동차를 이용하여 범죄행위를 한 경우 3. 피보험자를 변경함으로써 할증된 보험료(보험가입자 특성요율 포함)를 적용할 수 없는 경우	50%
B,C,D그룹	삭제	
E그룹	승용차 요일제 특별약관에 가입하고 비운행 요일에 보험사고가 발생하여 보험금이 지급된 경우 (단, 승용차 요일제 특별약관상 비운행 중 사고인 경우는 제외)	8.7%

고반물질30은 다모아미디어의 고유자산으로 무단 전제·복제 및 임의 사용시 저작권법 위반으로 5년이하의 징역 혹은 5천만원 이하의 벌금형이 부과됩니다.

질문 19 과실상계, 손익상계, 기왕증, 동승자감액에 대해서 자세히 설명해주세요?

자동차보험

 과실상계

- 대인배상Ⅰ,Ⅱ, 대물배상, 무보험자동차에 의한 상해담보 : 피해자측의 과실비율에 따라 상계됨
  [단, 무보험자동차에 의한 상해는 피보험자의 과실비율에 따라 상계됨]
- 대인배상Ⅰ,Ⅱ, 무보험자동차에 의한 상해담보 : 과실상계 후 금액이 치료관계비와 간병비의 합산액에 미달하는 경우 치료관계비와 간병비 전액을 보상
- 대인배상Ⅰ에서의 사망보험금은 과실상계한 후 금액이 2,000만원에 미달하면, 2,000만원을 보상

 손익상계

- 보험사고로 인하여 다른 이익을 받을 경우 이를 상계후 보험금을 지급

 기왕증

- 대인배상Ⅰ,Ⅱ, 자기신체사고, 무보험자동차에 의한 상해에 대한 보험금 산출 시 기왕증에 대해서는 면책
- 이미 가지고 있는 증상이라도 당해 사고로 추가된 부분에 대해서는 보상

 동승자감액(※승용차 함께 타기 실시차량은 제외)

가. 기준요소

동승의 유형 및 운행목적	감액비율
동승자의 강요 및 무단동승	100%
음주운전자의 차량 동승	40%
동승자의 요청 동승	30%
상호의논 합의 동승	20%
운전자의 권유 동승	10%
운전자의 강요 동승	0%

나. 수정요소

수정요소	수정비율
동승자의 동승과정에 과실이 있는 경우	+10 ~ 20%

※ 일반적으로 동승자의 경우 동승자의 상호 의논하에 탑승하는 경우가 대부분으로 이 경우 '상호의논 합의동승' : '20%의 감액'이 적용됨

※ 동승자감액은 '대인배상'에 적용, '자손'이나 '자동차상해'는 제외

질문 20

우량할인·불량할증이 뭔가요?

 ## 자동차보험 할인할증제도

□ 정의 : 사고가 없는 경우 보험료를 할인하고, 사고가 있는 경우에는 보험료를 할증함으로써 운전자의 안전운전을 유도하고 궁극적으로 교통사고율 감소 및 자동차보험료 인하효과를 도모하고자 운영되는 제도

□ 내용
   ① 무사고시 할인, 사고시 할증
   ② 보험가입자의 과거 사고유무 및 내용에 따라 할인할증 등급을 평가·결정
   ③ 자동차보험 최초가입시 11Z등급을 부여, 무사고시 1등급씩 할인하고 사고시에는 사고점수에 따라 할증 등급을 적용
   ④ 할인할증 등급별 적용률은 최고적용률(200%)과 최저적용률(30%) 사이에서 보험회사별 실적통계를 기초로 자율 적용

 ## 보험사별 할인할증 요율(개인용) : 회사별 상이

※ F등급은 Z와 Z등급 사이의 평균값

구분	1Z	2Z	3Z	4Z	5Z	6Z	7Z	8Z	9Z	10Z	11Z	12Z	13Z	14Z	15Z	16Z	17Z	18Z	19Z	20Z	21Z	22Z	23Z	24Z	25Z	26Z	27Z	28Z	29Z	29P
메리츠화재	200.0	175.0	156.0	153.0	131.0	115.0	103.0	100.0	96.0	87.0	82.0	76.0	71.0	68.0	63.0	62.0	59.0	59.0	51.0	50.0	49.0	49.0	46.0	45.0	43.0	40.0	39.0	36.0	33.0	33.0
한화손보	186.0	168.0	153.0	120.0	112.0	110.0	90.0	88.0	82.0	77.0	74.0	70.0	66.0	62.0	59.0	58.0	56.0	51.0	51.0	50.0	46.0	44.0	43.0	39.0	39.0	38.0	38.0	37.0	33.0	33.0
롯데손보	196.0	168.0	162.0	136.0	121.0	119.0	104.0	96.0	94.0	89.0	78.0	69.0	64.0	61.0	58.0	57.0	53.0	50.0	49.0	47.0	43.0	41.0	41.0	38.0	36.0	34.0	33.0	33.0	33.0	33.0
MG손보	200.0	178.0	162.0	140.0	134.0	120.0	111.0	100.0	90.0	85.0	81.0	71.0	64.0	58.0	57.0	54.0	47.0	46.0	46.0	43.0	41.0	41.0	40.0	34.0	34.0	34.0	34.0	34.0	30.0	30.0
흥국화재	184.9	156.7	155.8	136.0	126.3	107.8	105.3	98.3	88.9	84.0	80.8	71.7	67.0	62.1	57.1	54.1	52.0	49.0	48.2	46.1	42.3	40.4	38.7	36.6	36.2	35.0	33.0	31.5	30.0	30.0
삼성화재	178.0	140.0	124.0	113.0	113.0	100.0	99.0	92.0	86.0	83.0	78.0	71.0	65.0	62.0	58.0	54.0	53.0	50.0	48.0	47.0	45.0	43.0	42.0	41.0	39.0	38.0	35.0	34.0	31.0	31.0
현대해상	187.4	158.9	138.1	122.6	119.5	104.5	96.3	89.9	88.9	82.7	80.5	72.6	65.9	63.5	60.7	57.2	54.8	52.0	50.8	48.3	45.6	42.9	41.7	40.9	39.4	37.7	36.0	36.8	32.9	32.9
KB손보	193.0	151.5	134.0	118.0	102.5	102.0	97.0	91.5	83.5	77.5	75.0	70.0	66.5	61.5	58.0	55.5	52.0	50.5	49.0	47.0	45.5	43.5	42.5	40.5	40.5	39.0	37.5	36.0	35.5	32.0
DB손보	185.7	144.0	140.3	133.2	123.1	111.6	107.0	100.5	93.9	88.2	82.6	74.6	68.7	66.5	61.3	57.7	55.9	52.7	51.1	48.8	46.8	46.7	43.5	41.5	40.5	37.9	36.5	34.6	32.5	32.5
AXA손보	178.2	164.4	149.9	137.6	126.3	116.2	107.0	100.0	92.8	86.8	81.4	75.2	70.1	65.2	62.4	59.3	56.5	53.8	51.7	49.7	47.5	45.5	43.9	42.0	40.4	38.8	36.9	34.8	34.5	34.5
하나손보	195.0	167.0	164.0	140.0	126.0	114.0	103.0	89.0	85.0	84.0	80.0	67.0	61.0	59.0	55.0	55.0	53.0	48.0	47.0	44.0	43.0	42.0	41.0	39.0	37.0	35.0	34.0	33.0	32.0	-

주1) 현행은 2024. 1. 1일 이후 적용률임

할증 ← 시작 → 할인

〈출처 : 손해보험협회 공시실〉

목차 [질문 21~30번]

자동차보험

21. 보유불명 자차사고가 뭔가요?

22. 음주,뺑소니,무면허,마약,보복운전도 보상되나요?

23. 교통사고처리특례법이 뭔가요?

24. 동일증권[=종기일치]이 뭔가요?

25. 복잡한 할인특약을 정리해 주세요?

26. 추가가입시 유용한 특약을 정리해 주세요?

27. 자동차보험료를 절감하는 방법은?

28. 자동차보험 사고시 처리요령은?

29. 자동차보험의 보상절차는?

30. 자동차보험 산출의뢰서[예시]는?

첨부자료1 : 자동차보험 비교견적서

첨부자료2 : 과태료/범칙금/벌점

고반물질30은 다모아미디어의 고유자산으로 무단 전제·복제 및 임의 사용시 저작권법 위반으로 5년이하의 징역 혹은 5천만원 이하의 벌금형이 부과됩니다.

질문 21: 보유불명 자차사고가 뭔가요?

 가해자(보유)불명 자기차량 사고 = 내 잘못이 없는 자차사고 = 혜택 有???

억울한 내잘못이 없는 자차사고를 기존의 사고와 동일시 하지 않고 할인유예 및 할증을 최소화 해서 적용

예 : 거주자 우선 주차선에 세워 둔 차가 아침에 일어나 보니 차량이 파손되어 있는 경우

구 분	가해자 불명사고 보상금액			
	50만	100만	150만	200만
1년 할인유예	30만원 이하 [※ 3년간 다른사고가 없는 경우 사고건수에는 적용하지 않음]			
3년 할인유예	30만원 초과 50만원 이하	30만원 초과 100만원 이하	30만원 초과 150만원 이하	30만원 초과 200만원 이하
1점 할증	50만원 초과 2건 이상	100만원 초과 2건 이상	150만원 초과 2건 이상	200만원 초과 2건 이상

고반물질30은 다모아미디어의 고유자산으로 무단 전제·복제 및 임의 사용시 저작권법 위반으로 5년이하의 징역 혹은 5천만원 이하의 벌금형이 부과됩니다.

질문 22: 음주, 무면허, 마약, 도주, 보복운전도 보상되나요?

자동차보험

 **네. "제한적·조건적 보상"**이 되며, **'보복운전'**은 전담보 **'면책'**입니다.

구분	보상한도	음주	무면허	마약/약물	도주사고	보복운전
대인배상Ⅰ	의무보험	*의무보험한도 1억5천만원(피해자 1인당) [자부담]				X
대인배상Ⅱ	책임초과~무한	1억원(사고 1건당) [자부담]				X
대물배상	~2천만원까지	*의무보험한도 2천만원(사고 1건당) [자부담]				X
	2천만초과~ 가입금액한도	5천만원(사고 1건당) [자부담]				X
자기신체사고/자동차상해		○	○	○	○	X
무보험차상해 ※ 유상운송도중 사고는 면책		○	○	○	○	X
자기차량손해		X	X	X	○	X

※ *의무보험 : 대인배상Ⅰ -> 사망·후유장애(1급) : 1억5천만원, 부상 : 3천만원(1급)~50만원(14급) / 대물배상 -> 손해액 2천만원이하
※ 마약/약물 : 도로교통법 45조에서 정한 '마약,대마,향정신성의약품 그 밖에 행정자치부령이 정하는 것'

자배법 개정(22년 7월 27일 부터) : **의무보험 한도내** 로 상향조정 : **음주,무면허,마약/약물,도주사고** 절대 주의!!!

고반물질30은 다모아미디어의 고유자산으로 무단 전제·복제 및 임의 사용시 저작권법 위반으로 5년이하의 징역 혹은 5천만원 이하의 벌금형이 부과됩니다.

질문 23: 교통사고처리특례법이 뭔가요?

형사합의 또는 보험가입시 형사처벌 하지 않겠다는 특별법

이러한 제도는 대한민국의 특별한 경우로 '범죄자 양성 방지 목적'과 형사처리에 관련된 인적 '비용절감(인적 비용)'에 그 목적이 있다 할 수 있다.

교통사고처리특례법 '처벌'의 '예외'

- **반의사불벌** : 가·피해자간 '형사합의'가 되면 처벌하지 않음
- **보험가입의 특례**
  - 대인배상 [무한], 대물배상 [2천만원이상] 가입시 처벌하지 않음
  - 보험에 가입하였더라도 피해자가 '중상해'를 입은 경우 : 처벌대상 (합의된 경우 제외)

※ **중상해** 기준
  - 뇌, 주요장기의 중대한 손상   - 불구 : 신체중요부분의 손실, 실명, 청력상실, 말을 못하게 됨
  - 불치, 난치병 : 정신장애, 하반신마비, 완치가능성 희박

> 단, 사망사고, 뺑소니, 고의, 중상해, 12대중과실 사고등은 예외로 처벌 할 수 있음

질문 24

동일증권[=종기일치]이 뭔가요?

자동차보험

 차량을 2대이상 보유한 피보험자는 **동일증권[=종기일치] 가입 : 보험사고시 유리**

- □ 보험종기를 일치시키면 사고시 유리
- □ 반드시 **"동일회사"**에 **"보험종기를 일치"**시켜야 함
- □ 같이 묶을 수 있는 차종 : 약관에서 정한 동일차종 [=승용은 승용끼리/승합은 승합끼리/트럭은 트럭끼리]
  일반승용차/10인승이하 승합차/1t트럭/경승합/경화물

 만약 **A차량** 사고로 **20%할증**시 보험료 할증 적용 : 동일증권 가입자 **유리**

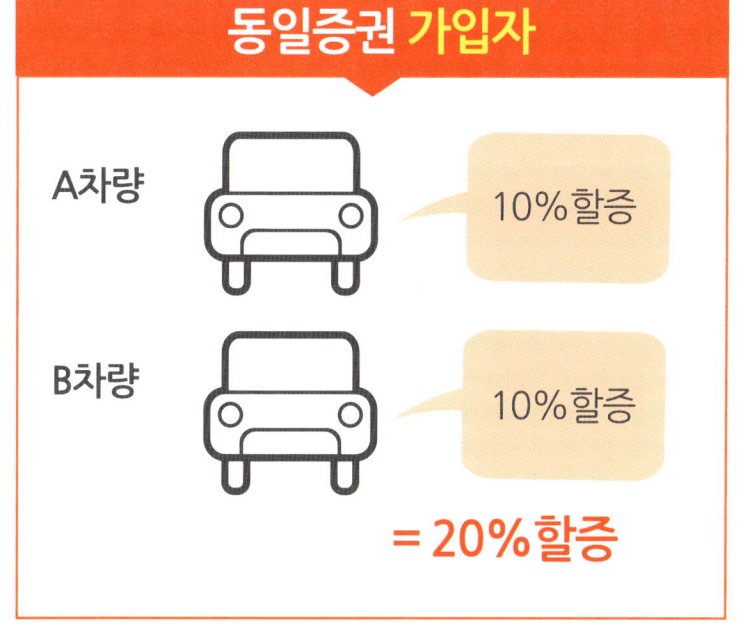

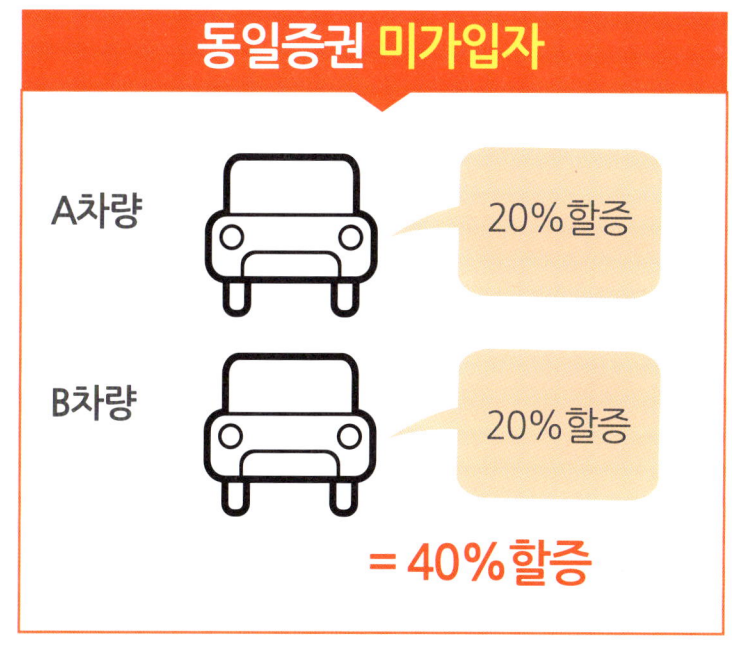

고반물질30은 다모아미디어의 고유자산으로 무단 전제·복제 및 임의 사용시 저작권법 위반으로 5년이하의 징역 혹은 5천만원 이하의 벌금형이 부과됩니다.

질문 25: 복잡한 할인특약을 정리해 주세요?

 ## 자동차보험료 절약을 위한 할인특약

특약명	상세 설명	확인서류 및 준비사항
마일리지	□ **주행거리 할인**특약 (덜 타면 보험료 할인, 주로 환급해줌) □ 보험사별로 할인 적용 주행거리와 할인율이 상이함 ※ 3천km미만 운행시 30%대 할인율	1. 차량전면 사진(번호판 보이게) 2. 계기판 사진(현 주행거리 확인)
블랙박스	□ 차량에 **블랙박스** 설치시 보험료 **할인**	1. 차량전면 사진(번호판 보이게) 2. 블랙박스 설치 사진 (모델명,구입년월등)
만6세이하 자녀할인	□ **태아~만6세 자녀**가 있을 시 보험료 **할인** ※ 회사마다 태아 할인 여부와 할인가능 자녀 나이가 상이	1. 가족관계증명서 또는 주민등록등본
차선이탈 경고장치	□ 차량에 **차선이탈경고장치**가 설치 시 보험료 **할인** ※ 차량출고시 기본장착 차량만 해당	1. 차선이탈경고장치 작동 사진(계기판)
전방충돌 경고장치	□ 차량에 **전방충돌경고장치**가 설치 시 보험료 **할인** ※ 차량출고시 기본장착 차량만 해당	1. 전방충돌경고장치 작동 사진(계기판)
커넥티드카 할인특약	□ 차량제조사에서 **커넥티드카 서비스** 가입자 ※ 커넥티드카 : 자동차 출고시 장착된 단말기를 확인하여 실시간으로 운행 정보를 주고 받을 수 있는 차량(사고통보장치 장착)	1. 차량제조사가 발급한 커넥티드카 서비스 가입확인서
나눔특약	□ 피보험자가 ①**기초생활수급자** 또는 ②**생계형 중고차주**, 장애인복지법에 따른 일정기준 이상의 ③**장애인**인 경우	1. 국민기초생활수급자 증명서 2. 기명피보험자 및 배우자의 소득입증자료 3. 기명피보험자 및 동거가족의 장애인증명서와 주민등록등본
안전교육 (고령자)	□ **만65세이상** 피보험자가 도로교통공단이 운영하는 **교통안전 교육**을 **이수**한 경우 ※ 만6세이상 기명피보험자가 기명1인한정 또는 부부한정 특약 가입시	1. 교통안전교육 이수 확인서

※보험사마다 특약 다를 수 있음

고반물질30은 다모아미디어의 고유자산으로 무단 전제·복제 및 임의 사용시 저작권법 위반으로 5년이하의 징역 혹은 5천만원 이하의 벌금형이 부과됩니다.

질문 26

추가가입시 유용한 특약을 정리해 주세요?

 자동차보험 가입시 부족한 부분을 보완할 수 있는 **유용한 특약**

자동차보험

특약명	상세 설명
외제차충돌 대물배상확대	□ **외제차와 사고시 대물**배상가입금액 **초과부분 추가보상**
긴급견인확장	□ 긴급출동특약의 **견인거리를 확장** : 10km -> **60km** ※ 보험사마다 상이
자차 렌트비 및 운반비용	□ 대물배상에만 적용되는 **렌트비**를 **자차**손해에도 **보상**받는 특약
신차손해	□ 최초등록일 **6개월 미경과 차량**에 대해 **신차가액 보험금, 대체차량 등록비용, 추가수리비** 제공 ※ 타사에서 대물로 보상받는 경우라도 보험금 지급 ※ 할증 미반영
다른자동차 차량손해	□ 피보험자가 **다른자동차 운전시** 운전한 **다른 자동차의 차량손해** 보상
레져용품 특약	□ **피보험차량**에 **적재 중인 레져용품**에 직접적으로 생긴 **손해** 보상 ※ 자기차량손해 가입된 경우만 보상, 자기부담금 있음
운전자 비용담보	□ **형사합의지원금, 변호사선임비용, 벌금**담보 **가입 가능** ※ 해당 차량의 사고만 보상
상급병실 지원특약	□ 피보험자가 피보험자동차를 운행, 날아오거나 떨어지는 물체와 충돌, 화재 또는 폭발, 피보험자동차의 낙하로 **상급병실 사용시** 보상 ※ 상급병실 : 기준 병실보다 입원료가 비싼 병실(특실 포함)

유용한 특약

※ 보험사마다 특약 다를 수 있음

질문 27: 자동차보험료를 절감하는 방법은?

- 차량사용 용도확인
- 운전자연령 확인
- 운전자범위 확인
- 운전자 보험가입경력 확인
- 차량2대이상 동일증권 가입
- 할인특약 선별가입
- 에어백, ABS, 오토, 도난방지 장치확인
- 안전운전 교통법규
- 보험료 일시납 납부
- 할인할증율 철저 확인
- 물적사고 할증조정
- 자동차보험료 비교견적

질문 28: 자동차보험_사고시 처리요령은?

자동차보험

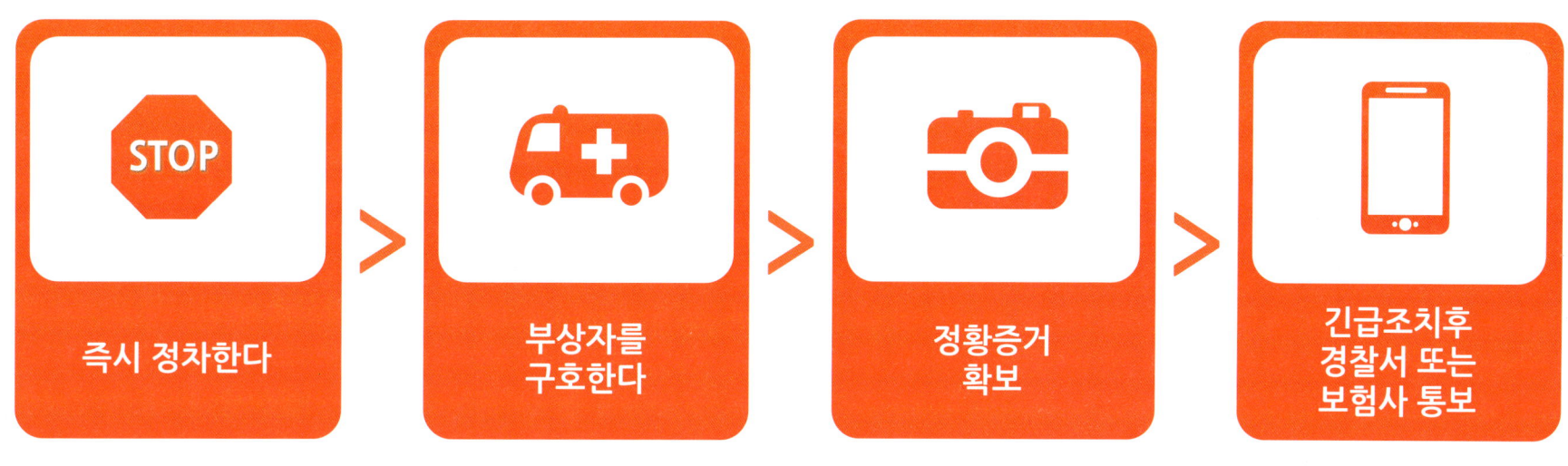

| 즉시 정차한다 | > | 부상자를 구호한다 | > | 정황증거 확보 | > | 긴급조치후 경찰서 또는 보험사 통보 |

- 어떤 사고라도 일단 정차 후 사고확인!
- 피해차량이라도 일단 정차 후 사고확인!

- 부상상태 확인!!!
- 될 수 있는 한 많은 사람의 협조를 얻어 병원으로 후송

- 사고 물체의 흔적이나 종류를 기록하고 여러 각도에서 사진 촬영!
- 사고장소, 위치등을 도로상에 표시!
- 사고 목격자 확보

- 경찰서에 신고!
- 보험회사에 통보!

[교통사고시 보험회사에 통보할 내용]
- 보험가입자의 성명, 주소, 차량번호
- 사고일시 및 장소, 사고내용, 피해상황
- 경찰서 신고여부 및 수리공장 또는 입원병원

고반물질30은 **다모아미디어**의 고유자산으로 무단 전제·복제 및 임의 사용시 저작권법 위반으로 5년이하의 징역 혹은 5천만원 이하의 벌금형이 부과됩니다.

질문 29: 자동차보험의 보상절차는?

보상처리 절차

교통사고발생 → 사고접수 → 보험계약사항 확인 및 사고처리 안내 → 사고조사 및 치료비(수리비) 지불보증 → 보험금 산정 → 보험금 지급 합의 → 보험금 결정·지급 → 보험금 지급내역 및 향후 보험계약 갱신시 변동사항 안내

질문 30: 자동차보험 산출의뢰서[예시]는?

자동차보험 산출의뢰서

신청일자 : 년 월 일
※1일정도 여유를 두고 신청바랍니다

취급자사항
- 취급자명
- 취급자연락처

기본사항
- 주민등록번호
- 차주명
- 차량번호
- 연락처
- 주소

자동차 사항
- 차명
- 차량내역(상세)
- 차량연식
- 에어백유무 : □ 없음 □ 1개 □ 2개
- ABS/보안장치 : □ 없음 □ 있음
- 오토여부 : □ 오토 □ 수동
- 블랙박스 : 제조사 : 가격 : 모델명 : 제품번호 :

특약사항
- 연령특약 : □ 전연령 ☑ 만21 □ 만22 □ 만24 □ 만26 ☑ 만28 □ 만30 □ 만35 ☑ 만38 □ 만43 □ 만48
- 운전자범위 : □ 누구나운전 □ 가족한정 □ 부부한정 □ 1인한정 □ 1+1인지정 □ 기타( )
- 보험료분납 : □ 일시납 □ 비연속2회납 □ 2회납(자동) □ 4회납(자동) □ 6회납(자동)

담보사항
- 대인배상Ⅰ : ■ 의무가입
- 대인배상Ⅱ : □ 무한 □ 미가입
- 대물배상 : □ 2천만 □ 3천만 □ 5천만 □ 1억원 □ 2억원 □ 3억원 □ 5억원 □ 기타( )
- 자기신체사고 : □ 1.5천만 □ 3천만 □ 5천만 □ 1억원 □ 기타 □ 미가입 ☑ 자동차상해 가입
- 무보험차상해 : □ 2억원 □ 3억원 □ 5억원 □ 미가입
- 긴급출동 : □ 가입 □ 미가입
- 자기차량손해 (물적사고할증) : □ 본인부담(차량손해액×20%) □ 50만 □ 100만 □ 150만 □ 200만

구분	물적사고 할증기준 금액			
	50만	100만	150만	200만
최고			50만원	
최저	5만원	10만원	15만원	20만원

결제사항
- 현금결제시 : □ 현금수금 □ 회사별 가상계좌
- 취급자사항 : □ 카드사 □ 카드NO - - - 유효기간 : 년 월 개월 할부

메모

자동차보험 가입시 필요한 기본사항

◆ **기본사항**
- ◇ 차주명 : 홍길동
- ◇ 주민등록번호 : 67****-1******
- ◇ 차량번호 : 00고0000
- ◇ 차명 : EQ900
- ◇ 차량내역(상세) : 예. 차량가격, 옵션(블랙박스등)
- ◇ 차량연식 : 2018년식

◆ **특약사항**
- ◇ 연령특약 : 43세이상
- ◇ 운전자범위 : 부부한정

◆ **담보사항**
- ◇ 대인배상 Ⅰ Ⅱ : 가입, 무한
- ◇ 대물배상 : 10억원
- ◇ 자기신체사고 또는 자동차상해 : 자동차상해 가입
- ◇ 무보험차상해 : 가입 [2억원]
- ◇ 자기차량손해 : 자기부담금 200만원 가입
- ◇ 긴급출동서비스 : 가입

첨부자료 | # 자동차보험 **비교견적서** [견본_분석하기]

 ### 기본정보

피보험자	김지O (610327-1******)
계약자	김지O (610327-1******)
가입기간	2021-11-01~2022-11-01
핸드폰	010-****-****
이메일	
연락처	
자택주소	
납입방법	

 ### 차량정보

차량번호	17누1234
차명코드	61P17
연식/등급	2016년식 / 19등급
상세차명	올뉴투싼 2.0 VGT(2WD)
기본부속	모던,오토,에어컨,P/S,ABS,AIR-D,IM
추가부속사항	기타
차량가입금액	1964만원 [차량:1964, 장착품:233, 총액 2197, 일부담보적용]

 ### 보험요율사항

한정특약	가족한정
연령특약	만24세이상
가입경력	7년이상
할인할증율	24F
특별할증율	0
법규위반	C012(할인)
3년사고건수/점수	0건/0점
1년사고건수/점수	0건/0점

 ### 담보사항

대인배상 I	의무가입
대물배상 II	무한
대물배상	1억원
자기신체사고(자동차상해)	자손 1천5백만
무보험차사고	2억
자기차량손해	가입
물적사고할증	200만원
자기부담금	손해액의 20% / 최소 자부담 20만원

 ### 산출내역

보험사	차액	총보험료	대인1	대인2	대물	자손(자상)	무보험차	자기차량	긴급출동
OO손보	-	721,160	125,100	116,260	245,310	10,420	8,290	192,890	22,990
OO손보	24,210	745,370	119,220	98,090	289,070	9,680	4,930	194,780	29,600
OO손보	43,080	764,240	133,760	129,270	265,820	14,090	4,800	198,640	17,860
OO손보	48,400	769,560	126,650	126,000	287,060	14,840	5,300	184,120	25,590
OO손보	126,360	847,520	131,340	143,480	318,940	14,210	8,200	218,630	12,720
OO손보	129,720	850,880	140,100	128,090	277,280	10,020	12,940	258,800	23,650
OO손보	139,960	861,120	119,010	186,350	315,040	9,580	6,060	210,130	14,950
OO손보	180,560	901,720	149,740	154,100	319,430	17,760	17,700	222,070	20,920

고반물질30은 다모아미디어의 고유자산으로 무단 전제·복제 및 임의 사용시 저작권법 위반으로 5년이하의 징역 혹은 5천만원 이하의 벌금형이 부과됩니다.

| 첨부자료 | 의무보험(=책임보험) 미가입_과태료 |

※ 대인배상 Ⅰ,대인배상 Ⅱ(1명당 1억원 이상),대물배상(1사고당 2천만원 한도) 미가입시 각각에 대하여 과태료 부과

[부과기관 : 시,군,구청]

자동차보험

구분	미가입 기간	과태료			대인 최고한도	대물 최고한도
		대인배상Ⅰ	대인배상Ⅱ	대물배상		
비사업용	10일 이내	1만원		5천원	60만원	30만원
	10일 초과	1일 초과시마다 4천원 추가		1일 초과시마다 2천원 추가		
사업용	10일 이내	3만원	3만원	5천원	대인Ⅰ:100만원 대인Ⅱ:100만원	30만원
	10일 초과	1일 초과시마다 8천원 추가	1일 초과시마다 8천원 추가	1일 초과시마다 2천원 추가		
이륜차	10일 이내	6천원		3천원	20만원	10만원
	10일 초과	1일 초과시마다 4천원 추가		1일 초과시마다 2천원 추가		

<예시> 사업용자동차가 의무보험에 미가입된 경우 10일 이내라면 과태료는? 3만원+3만원+5천원 = 6만5천원

첨부자료 | 과태료 [금전적처벌]

※ 처벌의 강도 : 과태료 < 범칙금 < 벌금

[부과기관 : 시,군,구청]

위반행위		승합자동차 등		승용자동차 등		이륜자동차 등	
		일반도로	보호구역	일반도로	보호구역	일반도로	보호구역
속도 위반	60km/h 초과	14만원	17만원	13만원	16만원	9만원	11만원
	41~60km/h	11만원	14만원	10만원	13만원	7만원	9만원
	21~40km/h	8만원	11만원	7만원	10만원	5만원	7만원
	20km/h 이하	4만원	7만원	4만원	7만원	3만원	5만원
신호·지시위반		8만원	14만원	7만원	13만원	5만원	9만원
주·정차위반 (괄호안은 2시간이상)		5만원 (6만원)	9만원 (10만원)	4만원 (5만원)	8만원 (9만원)	—	—
버스전용 차로	일반도로	6만원	—	5만원	—	—	—
	고속도로	10만원	—	9만원	—	—	—

※ **과태료와 범칙금의 차이?** 신호위반으로 범칙금 납부시 6만원(벌점 15점), 과태료 납부시 7만원(벌점 없음)

결국 1만원 더 내면 과태료이고 벌점도 없다는 겁니다 **과태료로 내야 유리!!!**

고반물질30은 다모아미디어의 고유자산으로 무단 전제·복제 및 임의 사용시 저작권법 위반으로 5년이하의 징역 혹은 5천만원 이하의 벌금형이 부과됩니다.

범칙금 [금전적처벌+벌점]

첨부자료

[부과기관 : 경찰]

자동차보험

위반행위		승합자동차 등		승용자동차 등		이륜자동차 등	
		일반도로	보호구역	일반도로	보호구역	일반도로	보호구역
통행금지·제한위반		5만원	9만원	4만원	8만원	3만원	6만원
주·정차위반		5만원	9만원	4만원	8만원	3만원	6만원
속도위반	60km/h 초과	13만원	16만원	12만원	15만원	8만원	10만원
	41~60km/h	10만원	13만원	9만원	12만원	6만원	8만원
	21~40km/h	7만원	10만원	6만원	9만원	4만원	6만원
	20km/h 이하	3만원	6만원	3만원	6만원	2만원	4만원
신호·지시위반		7만원	13만원	6만원	12만원	4만원	8만원
보행자보호 의무 불이행	횡단보도	7만원	13만원	6만원	12만원	4만원	8만원
	일반도로	5만원	9만원	4만원	8만원	3만원	6만원
버스전용 차로	일반도로	5만원	—	4만원	—	—	—
	고속도로	7만원	—	6만원	—	—	—

고반물질30은 다모아미디어의 고유자산으로 무단 전제·복제 및 임의 사용시 저작권법 위반으로 5년이하의 징역 혹은 5천만원 이하의 벌금형이 부과됩니다.

첨부자료 벌점

[부과기관 : 경찰]

위반행위		일반도로	보호구역
속도위반	60km/h 초과	60점	120점
	41~60km/h	30점	60점
	21~40km/h	15점	30점
	20km/h 이하	없음	15점
신호·지시위반		15점	30점
보행자보호의무 불이행	횡단보도	10점	20점
	일반도로		
버스전용 차로	일반도로	10점	–
	고속도로	30점	–

고반물질30은 다모아미디어의 고유자산으로 무단 전제·복제 및 임의 사용시 저작권법 위반으로 5년이하의 징역 혹은 5천만원 이하의 벌금형이 부과됩니다.

고객이 반드시 물어보는 질문 30가지

| 손해보험 | **운전자** 필수보험 | 자동차보험은 남을 위해 **운전자보험**은 **나**를 위해
운전시 발생하는 모든 리스크를 대비하는 보험 |

운전자보험

운전자보험

목차

1. 운전자보험 왜? 가입해야 하나요?
2. 운전자보험과 자동차보험은 무슨 차이인가요?
3. 운전자보험에서는 무엇을 담보하나요?
4. 운전자보험 가입시 유의사항은?
5. 운전자담보중 '벌금'이 뭔가요?
6. 운전자담보중 '교통사고처리지원금'이 뭔가요
7. 형사합의 vs 교통사고처리지원금은 다른가요?
8. 교통사고처리지원금이 과거 형사합의금하고는 보장범위가 다르다면서요?
9. 형사합의는 꼭 해야 하나요? 안 하면 어떻게 되나요?
10. 형사합의와 공탁은 어떤 차이가 있고 형사합의금은 얼마가 적당한가요?
11. 형사합의시 주의할 점이 있다구요? 무엇을 주의해야 하나요?
12. 형사합의서[부상사고]는 어떻게 작성하나요?
13. 형사합의서[사망사고]는 어떻게 작성하나요?
14. 변호사선임비용[=방어비용]이 뭔가요?
15. 운전자보험에서 '면허취소'나 '면허정지' 비용도 나오나요?
16. 12대중과실사고에 대해 설명해 주세요?
17. 12대중과실사고와 음주운전 사고시 어떤 처벌을 받게 되나요?
18. 운전자보험에서 면책조항은?
19. 민식이법(法)이 뭐고 왜? 기존 가입한 운전자보험을 보완해야 한다 하는 건가요?
20. '교통사고'의 정의에 대해 정확히 설명해 주세요?
21. '중상해'의 기준은 어떻게 되나요?
22. '도주'의 기준은 어떻게 되나요?
23. '보복운전'과 '난폭운전'은 어떤 차이가 있나요?
24. 운전자보험 변천사에 대해서 설명해 주세요?
25. 보험료가 저렴한 운전자보험은 없나요?
26. 운전자보험은 몇 세까지 가입하는게 좋을까요?
27. 운전자보험은 중복보상이 안된다면서요?
28. 자동차부상치료비[자부치]특약이 뭔가요?
29. '자동차부상치료비특약(자부치)'의 급수(9~14급)별 상해내용을 자세히 알려주세요?
30. 최근 운전자보험에서 판매하는 새로운 트렌드담보는 어떤게 있나요?

고반물질30은 다모아미디어의 고유자산으로 무단 전제·복제 및 임의 사용시 저작권법 위반으로 5년이하의 징역 혹은 5천만원 이하의 벌금형이 부과됩니다.

목차 [질문 1~10번]

1. 운전자보험 왜? 가입해야 하나요?
2. 운전자보험과 자동차보험은 무슨 차이인가요?
3. 운전자보험에서는 무엇을 담보하나요?
4. 운전자보험 가입시 유의사항은?
5. 운전자담보중 '벌금'이 뭔가요?
6. 운전자담보중 '교통사고처리지원금'이 뭔가요
7. 형사합의 vs 교통사고처리지원금은 다른가요?
8. 교통사고처리지원금이 과거 형사합의금하고는 보장범위가 다르다면서요?
9. 형사합의는 꼭 해야 하나요? 안 하면 어떻게 되나요?
10. 형사합의와 공탁은 어떤 차이가 있고 형사합의금은 얼마가 적당한가요?

운전자보험

질문 01 — 운전자보험 왜? 가입해야 하나요?

자동차보험으로 피할 수 없는 **운전자 자신의 여러 리스크를 커버** 하기 위한 보험
[벌금, 교통사고처리지원금, 변호사비용등]

운전자 본인의 신체적, 금전적 피해 준비
[자동차사고는 의료보험X : 교통사고부상치료비, 골절, 입원일당등]

운전미숙, 난폭운전, 고령운전자의 증가로 **사망률 증가**
[OECD국가중 교통사고로 인한 사망률 1위, 사망자수 2배]

운전자보험

자동차보험 [타인을 위한 보험]	운전자보험 [자신을 위한 보험]		
민사적 책임 [제3자의 신체·재산상의 손해]	**형사**적책임 [가·피해자간의 쌍방 합의 필요]	**행정**적책임	**상해**보장등
배상책임손해	교통사고처리지원금 변호사비용	벌금	교통사고부상치료비 골절진단비 입원일당등

고반물질30은 다모아미디어의 고유자산으로 무단 전제·복제 및 임의 사용시 저작권법 위반으로 5년이하의 징역 혹은 5천만원 이하의 벌금형이 부과됩니다.

질문 02 : 운전자보험과 자동차보험은 무슨 차이인가요?

구분		자동차보험	운전자보험
타인보장	사망 및 상해	전액	형사합의금
	재물손해	O	X
운전자보장	사망	O	O
	후유장애	O	O
	차량손해	차량가입금액이내	X
	벌금	법률지원특약	O
	변호사선임비용	법률지원특약	O
	교통사고처리지원금	법률지원특약	O
	면허정지	X	O
	면허취소	X	O
평가방법		자배법 **부상급수**로만 계산	피해자 **진단주수**로 계산
특징		의무가입보험, **타인**을 위한 보험, 보장기간 : **1년**	민간보험, **운전자** 자신을 위한 보험, 보장기간 : **최대 100세**까지 가능

고반물질30은 다모아미디어의 고유자산으로 무단 전제·복제 및 임의 사용시 저작권법 위반으로 5년이하의 징역 혹은 5천만원 이하의 벌금형이 부과됩니다.

질문 03

운전자보험에서는 무엇을 담보하나요?

교통사고처리지원금 [=형사합의] : 실손보장
공탁금 50% 선지급 특약 / 6주미만, 중과실사고 추가 등 뉴트렌드 담보 신설

벌금 [대인 & 대물 모두 가입_민식이법 적용] : 실손보장
자동차운전중 대인 최고 3천만원 보장 / 대물 최고 500만원의 확정판결액 실손보장

변호사선임비용 [=방어비용] : 실손보장
변호사선임비용(경찰조사포함) 신설로 경찰조사단계에서 부터 변호사선임비용 보상

법률비용
민사소송등 법률비용등을 담보

자동차부상위로금, 입원일당, 골절, 임시생활비 등 선택담보 가입 가능
치료비, 자동차부상치료비, 입원기간동안 임시생활비, 골절진단비등 유용한 담보 다수

질문 04
운전자보험 가입시 유의사항은?

중복가입 조심 : 실손보상
여러 개 보험 가입해도 가입건수와 관계없이 총가입금액 한도 내에서 비례보상

가입금액설정 유의 : 실손보상
운전자보험은 실손보상 상품으로 담보가입금액을 신중히 선택

보험가입내용 꼼꼼히 체크
보험가입기간, 대물벌금, 필수담보, 자부상위로금, 골절, 보복피해, 일당, 수술비등 꼼꼼히

면책사항 조심
고의, 자해, 범죄, 폭력행위, 형의 집행, 음주[약물]와 무면허, 보복운전, 뺑소니등

보험료 할인특약 활용 : 보험료 절감
운전자의 운전습관, 패턴에 따라 할인해주는 특약 활용

운전자보험

질문 05 : 운전자담보중 '벌금'이 뭔가요?

구분		벌금	
벌금 (대인)	지급 사유	자동차를 운전하던 중에 발생한 급격, 우연한 자동차사고로 타인의 신체에 상해를 입힘으로써 신체 상해와 관련하여 받은 벌금액 보장	
	보장 내역	**구분** / 일반도로 사고 / 스쿨 존 사고 **가입금액** / 1사고당 2천만 / 1사고당 3천만 **필요서류** / ① 형사재판 확정증명서 ② 법원판결문 또는 약식명령문 ☐ **민식이법(어린이보호구역)** 어린이보호구역 사고 : 어린이 치사상의 가중처벌 대상 (20년3월시행) **어린이 사망 사고** / **어린이 상해 사고** 무기징역 or 3년이상 징역 / ① 1년~15년이하 징역 ② 500만~3천만이하 벌금 ※ 어린이 보호구역 내 과속단속카메라, 과속방지턱, 신호등 설치 의무화 (규정속도 : 30km이하, 이면도로 20km이하)	
벌금 (대물)	지급 사유	자동차를 운전하던 중에 중대한 과실로 다른사람의 건조물이나 재물을 손괴(망가뜨린) 경우	
	보장 내역	**구분** / 대물 사고 **가입금액** / 1사고당 500만원 **필요서류** / ① 형사재판 확정증명서 ② 법원판결문 또는 약식명령문 ※도로교통법 제151조 : 2년이하의 금고나 500만원이하의 벌금 가로등 / 교통신호제어기 / 가드레일 / 신호등 / 무단횡단방지봉 / 가로수(은행) 80만~300만 / 750~1천만 / M당 약10만 / 3백~2천만 / M당 약17만 / 1그루 850만	

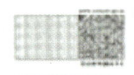

서울서부지방법원

판 결

사 건 2018고단3XXX 교통사고처리특례법위반
피 고 인 홍길동
　　　주거 : 서울 XXX XXX XXX XXXX
　　　등록기준지 : 서울 XXX XXX
검 사 홍검사 (기소)
변 호 인 법무법인 XX
　　　담당변호사 정변호

판 결 선 고 2018. 1. 18.

주 문

피고인을 벌금 500만원에 처한다.
피고인이 위 벌금을 납입하지 아니하는 경우 10만원을 1일로 환산한 기간 피고인을 노역장에 유치한다.
위 벌금에 상당한 금액의 가납을 명한다.

이 유

범 죄 사 실

피고인은 서울 XXXX호 전세버스의 운전업무에 종사하는 사람이다.

질문 06: 운전자담보중 '교통사고처리지원금'이 뭔가요?

구분		교통사고처리지원금
지급 사유		운전 중 발생한 급격하고 우연한 12대 중과실사고로 타인에게 일정 진단주수 이상시 형사합의금으로 지급하는 금액
교통사고처리지원금	사망/중상해/부상1~3급	2~2.5억원
	중과실 사고 피해자 진단 주수 — 24주이상	1.5~2억원
	20주이상	1~2억원
	10주이상	9천만원
	6주이상	2.5천만원
	6주미만	700~1천만원
	4주미만	250~500만원
	중상해/동승자(타인)	보상가능
	직계가족	직계가족은 '가해자=피해자'가 같으므로 면책
	보상조건	실손형 비례보상(과거:정액형 중복보상)
	합의금(후/선지급형)	선지급형(09년10월부터)
	공탁금(50%선지급형)	공탁금 50%선지급

※ 보험사별로 가입금액, 담보항목 유무, 부책과 면책이 다를 수 있음

합의서

아래의 교통사고 사망사건에 대하여 가해자와 피해자 유족대표는 아래와 같이 형사 합의한다.

1. 사고내용
   - 사고일시 :
   - 사고장소 :
   - 가 해 자 :   피 해 자(亡) :

2. 합의내용
   - 합의금액 : 金   원(₩   원)

   [합의사항]
   가. 가해자는 법률상 손해배상금의 일부로서 유족대표에게 위 금액을 지급한다.
   나. 유족들은 위 금액을 지급받고 가해자의 처벌을 원치 않는다.

   [채권양도]
   가. 합의금 지급으로 인해 가해자가 보험회사를 상대로 보험금청구권을 취득하게 되어있는 바, 이 보험금 청구권은 유족대표에게 양도하고, 보험사에 통지하기로 한다.
   나. 향후 원고들은 위 합의금이 손해배상금에서 공제되지 않을 시 가해자로부터 양도받은 채권을 피고(보험사 및 공제조합)측에 양수금 청구를 않기로 한다.
   다. 채권양도 통지를 보험사에 내용증명으로 통지한 시점부터 본 합의의 효력은 발생되며, 채권양도가 이루어지지 않는다면 본 합의는 무효로 한다.

3. 기타사항
   위 합의사항을 확실히 하기 위하여 이 합의서 3부를 원본 1부는 수사기관 또는 법원에 제출하고 나머지는 가해자 측과 피해자 측에서 1부씩 사본 보관한다.

4. 첨부서류
   가. 가해자(또는 대리인)
      - 인감증명서 1부   - 대리인인 경우 대리인 인감증명서 및 가족관계증명서 1부
   나. 피해자(유족대표)
      - 유족대표 인감증명서 1부   - 가족관계증명서 1부.

   20   년   월   일

   가 해 자   피해자(亡)의 유족대표
   성   명 :   성   명 :
   주   소 :   주   소 :
   생년월일 :   생년월일 :
   연 락 처 :   연 락 처 :

질문 07: 형사합의 vs 교통사고처리지원금은 다른가요?

형사합의지원금	교통사고처리지원금
이전 2009년10월 이후	
동승자 제외 중상해사고 제외	동승자 보장 중상해사고 보장

※ 피보험자의 부모, 배우자, 자녀는 '타인=피해자'의 범위에서 제외됨으로 면책임

질문 08: 교통사고처리지원금이 과거 형사합의금하고는 보장범위가 다르다면서요?

예. 보장범위의 차이가 있습니다.

	형사합의금만 가입한 고객	형사합의금+중상해 교통사고처리금 가입고객	현행 교통사고처리지원금
일반교통사고시	보상O	보상O	보상O
중상해교통사고시	보상X	보상O	보상O
11대 중과실 교통사고	보상O	보상O	보상O
피보험자옆에 동승자 탑승자	보상X	*보상X 보상O	보상O
피보험자의 자녀	보상X	보상X	보상X
피보험자의 배우자	보상X	보상X	보상X

운전자보험 가입시기별로 보장내용이 다릅니다!
법규가 바뀌면 운전자보험도 바꿔줘야 합니다.

운전자보험

고반물질30은 다모아미디어의 고유자산으로 무단 전제·복제 및 임의 사용시 저작권법 위반으로 5년이하의 징역 혹은 5천만원 이하의 벌금형이 부과됩니다.

질문 09 형사합의는 꼭 해야 하나요? 안 하면 어떻게 되나요?

 교통사고시 **형사합의**는 강제사항은 **아니며** 가해자가 형사합의시 **정상참작** (처벌이 가벼워짐)되거나 **구속**을 **면**할 수 있음 (※**구속의 기준 : 판례상 대략 12주이상**)

교통사고의 경우

교통사고처리특례법상의 특례 예외 조항인
① 12대중과실사고 [합의시 거의 불구속 : 집행유예나 벌금]
② 사망,사체유기사고 [거의 구속]
③ 뺑소니(=도주)사고 [3주이상인 경우 구속]
④ 운전자가 피해자와 미합의한 중상해사고

위의 ①~④에 해당되지 않는 한
　피해자와 합의하거나 보험(공제)에 가입되어 있으면[보험가입의 특례] 가해자를 처벌 할 수 없도록 되어 있음 [※우리나라 : 교통사고 범죄자 양성 시키지 않겠다[=축소]는 의지]

과실치상죄 無 vs 업무상과실치상죄 有 [예 : 의료사고 or 건설현장 사고]

반대로 ① 12대중과실사고 ② 사망,사체유기사고 ③ 뺑소니사고 ④ 운전자가 피해자와 미합의한 중상해사고 시에는 **처벌**을 **면**할 수 **없음** [처벌함]

질문 10: 형사합의와 공탁은 어떤 차이가 있고 형사합의금은 얼마가 적당한가요?

 가해자가 피해자와 형사합의를 하려고 하였음에도 불구하고 피해자측에서 **사회통념상 통용되는 합의금**을 지나치게 **초과하는 금액을 요구**하거나 **형사합의를 거부** 할 경우 법원에 직접 **공탁**을 하면 됨 [※ **형사합의금**은 '**초진기준**' 통상 **주당 50만~70만원정도**]

운전자보험

[사고사례]
상대방 중앙선 침범으로 교통사고가 난 경우로 본인은 쇄골뼈 골절로 8주진단, 아내는 4주진단, 자녀2명은 각각 2주씩 진단이 난 경우 형사합의금은 얼마나 받아야 할까요? [가해자:자동차는 종합보험 가입, 운전자보험은 미가입]

[합의 및 보험금 산정] = 가장 긴 진단주수 + 나머지 사람 진단주수 1/2 합산
본인진단 8주를 제외하고 나머지 사람들의 진단주수는 ½ 합산함 [즉, 8주+2주+1+1주 = 총12주]
그러므로, 총 12주에 대한 **형사합의금** [주당 50만원~70만원정도로 합의] **약600만원~850만원 정도가 타당**
그러나, 형사합의는 가해자와 피해자간의 **경제적 상황**에 따라 형사합의금이 **천차만별**로 달라짐
※ 형사합의도 중요하지만 본인의 '쇄골골절'은 대부분 수술을 하므로 '성형수술비' 및 '금속제거비'등을 청구가능
　[향후 골절정도와 형태 및 유합정도에 따라 후유장해보험금도 청구 가능]

형사합의 & 공탁

[공탁금 걸었으니 배째???]
만약 공탁금만 걸어두고 배째라는 식의 안하무인인 가해자가 있다면 피해자는 '**공탁금 회수 동의서**'를 작성하여 가해자에게 반환한다는 내용증명을 보내고 '**증명서사본**'을 첨부한 '**진정서**'를 **법원에 제출**하면 **가해자**는 **곤란**해짐

- 공탁은 효과적인 측면[量刑]에서는 형사합의에 미치지 못하므로 **가급적 '형사합의'가 좋음**
- 형사합의는 주당 50만원~70만원선에서 합의가 타당함 [**지나친 형사합의금 요구X**]

목차 [질문 11~20번]

11. 형사합의시 주의할 점이 있다구요? 무엇을 주의해야 하나요?
12. 형사합의서[부상사고]는 어떻게 작성하나요?
13. 형사합의서[사망사고]는 어떻게 작성하나요?
14. 변호사선임비용[=방어비용]이 뭔가요?
15. 운전자보험에서 '면허취소'나 '면허정지' 비용도 나오나요?
16. 12대중과실사고에 대해 설명해 주세요?
17. 12대중과실사고와 음주운전 사고시 어떤 처벌을 받게 되나요?
18. 운전자보험에서 면책조항은?
19. 민식이법(法)이 뭐고 왜? 기존 가입한 운전자보험을 보완해야 한다 하는 건가요?
20. '교통사고'의 정의에 대해 정확히 설명해 주세요?

질문 11 형사합의시 주의할 점이 있다구요? 무엇을 주의해야 하나요?

주의 1

형사합의시 반드시 그 합의금이 '어떤 명목'으로 지급되었는 지 주의해야 함

반드시 '위로금[=위자료]' 또는 '보험금과는 별도로'로 명시해야 불이익 없음

형사합의

불법행위가 피해자에게 손해를 줌과 동시에 이익도 준 경우에는, 그 이익이 불법행위와 상당한 인과관계에 있는 한, 손익상계에 의하여 배상액에서 공제된다.

합의금이 '손익상계'의 대상이 되는가에 관하여는 그 합의금이 어떤 명목으로 지급되었느냐에 따라서 결론이 달라짐

교통사고의 경우 형사합의 외에 보험사[가해자]를 상대로 '보험금'을 지급 받는데, 이때 형사합의금을 정확히 해 두지 않으면 보험사에서는 형사합의금을 공제[손익공제]하고 지급하는 경우가 비일비재함

형사합의시 '위로금조' 또는 '보험금과는 별도'라고 명기해야 불이익 없음

운전자보험

주의 2

- 가해자가 내 고객 : '대학병원급'으로 보내고
- 피해자가 내 고객 : '병·의원급'으로 보내서 진단을 받는게 유리

형사합의

진단주수는 '초진진단'만을 기준으로 합니다. 그러므로 가해자를 구속시키거나 형사합의(6주이상 진단)를 하고 싶다면 사고시점부터 의사에게 진단을 제대로(진단주수 많이) 발급해 달라고 요구하셔야 합니다.
그러므로, 가해자가 내 고객이면 진단주수가 적게 나오는 '대학병원급'으로 보내고, 피해자가 내 고객이면 진단주수가 상대적으로 많이 나오게 할 수 있는 '병·의원급'이 더 유리한 것입니다.

※ 피해자가 여러명일 경우 : 가장 긴 진단주수 + 나머지 사람들의 각각 진단주수의 1/2을 합한 주수

질문 12: 형사합의서[부상사고]는 어떻게 작성하나요?

1. 형사합의서_**부상사고**

합 의 서

아래의 교통사고 사건에 대하여 가해자와 피해자는 아래와 같이 합의한다.

1. 교통사고 내용

사고일시	20XX. XX. XX.	
사고장소	서울시 강남구 홍길로 18길, XXX	
가 해 자	홍 길 동	123456-1234567
가해자차량번호	11가1234	
피 해 자	성 춘 향	111111-2222222

2. 합의내용

합의금액	金 일천만원 (₩10,000,000-)
합의사항	가. 가해자는 법률상손해배상금의 일부로서 피해자에게 위 돈을 지급한다. 나. 피해자는 위 돈을 지급받고 가해자의 처벌을 원치 않는다.
채권양도	가. 위 합의금은 손해배상의 일부이기에 이 합의금 지급으로 인해 위 돈에 대하여 가해자가 보험회사를 상대로 보험금청구권을 취득하게 되었기에, 이 보험금 청구권은 피해자에게 양도한다. 나. 이와 같은 채권양도의 효력을 확실히 하기 위해 가해자는 즉시 가해차량의 보험회사인 OO보험주식회사에 채권양도 통지를 한다. 다. 이 합의로써 가해자의 보험금 청구권은 피해자에게 채권양도 되었기에 가해자가 보험회사에 대한 보험금청구권을 포기할 수 없고, 만일 가해자가 이를 어겨 보험회사에 대한 보험금 청구권을 포기할 경우에는 위 합의금을 피해자에게 다시 지급한다.

3. 기타사항

가. 위 합의사항을 확실하게 하기 위해 이 합의서를 제3부 작성하여 1부는 수사기관 또는 법원에 제출하고 나머지는 가해자측과 피해자측에서 1부씩 보관한다.
나. 이 합의서와 관련한 채권양도 통지를 가해자가 내용증명(또는 배달증명)으로 보험회사에 발송한 후, 내용증명 원본을 피해자에게 교부한 때로부터 이 합의서의 효력이 발생한다.
(채권양도통지를 하지 않으면 이 합의는 무효로 한다.)

4. 첨부서류

가. 가해자와 피해자의 인감증명서(합의용) 각 1부

20 년 월 일

가 해 자		피 해 자	
성 명	홍 길 동 (인)	성 명	성 춘 향 (인)
주 소	서울시 강북구 강북로 11	주 소	경기도 광명시 광명로 55
주민번호	123456-1234567	주민번호	111111-222222

2. 채권양도통지서_**부상사고**

채 권 양 도 통 지 서

통지인(이 사건 가해차량 운전자)		피통지인(가해차량의 보험회사)	
성 명	홍 길 동 (인)	대표이사	김 대 표 (인)
주 소	서울시 강북구 강북로 11	회 사 명	OO보험주식회사
주민번호	123456-1234567	주 소	서울시 종로구 종로 11

통지인은 피통지인에게 아래와 같이 채권양도 통지합니다.

1. 교통사고 내용

사고일시	20XX. XX. XX.	사고장소	서울시 강남구 홍길로 18
가 해 자	홍 길 동	가해차량	11가 1234
피 해 자	성 춘 향	주민번호	123456-1234567

2. 양도채권의 내용

합의금액	金 일천만원 (₩10,000,000-)
채권양도	가. 통지인은 위 사건의 피해자에게 법률상손해배상금의 일부로서 위 금액을 지급하고 형사합의 했습니다. 나. 손해배상의 일부가 피해자에게 지급되었기에 위 돈에 대하여 통지인이 보험회사를 상대로 보험금 청구권이 발생되었는 바, 그 권리를 통지인은 형사합의 하면서 피해자에게 채권양도 했습니다. 다. 따라서 통지인이 귀사를 상대로 청구하여야 할 보험금 청구권은 채권양도되어 통지인에게 권리가 없고 피해자에게 권리 이전되었기에 피해자가 귀사를 상대로 양수금을 청구할 것이니 그 경우 즉시 피해자에게 위 돈을 지급해 주시기 바랍니다.

3. 첨부서류 : 합의서 사본 1부.

20 년 월 일

통 지 인(발신인) : 홍 길 동 (인)
주 민 등 록 번 호 : 123456-1234567
주   소 : 서울시 강북구 강북로 11

피통지인(수신인) : OO보험주식회사 (OO공제조합)
대표이사(사장)   : 김 대 표 귀중
주   소 : 서울시 종로구 종로 11

고반물질30은 다모아미디어의 고유자산으로 무단 전제·복제 및 임의 사용시 저작권법 위반으로 5년이하의 징역 혹은 5천만원 이하의 벌금형이 부과됩니다.

질문 13: 형사합의서[사망사고]는 어떻게 작성하나요?

3. 형사합의서_사망사고

합 의 서

아래의 교통사고 사망사건에 대하여 가해자와 피해자 유족대표는 아래와 같이 합의한다.

사고일시	20XX. XX. XX.		
사고장소	서울시 강남구 홍길로 18길, XXX		
가 해 자	홍 길 동	주민번호	123456-1234567
가해자차량번호	11가1234		
피 해 자	(亡) 성 춘 향	주민번호	111111-2222222

2. 합의내용

합의금액	金 삼천만원 (₩30,000,000-)
합의사항	가. 가해자는 법률상손해배상금의 일부로서 피해자 유족대표에게 위 돈을 지급한다. 나. 피해자 유족들은 위 돈을 지급받고 가해자의 처벌을 원치 않는다.
채권양도	가. 위 합의금은 손해배상의 일부이기에 이 합의금 지급으로 인해 위 돈에 대하여 가해자가 보험회사를 상대로 보험금청구권을 취득하게 되었기에, 이 보험금 청구권은 피해자 유족대표에게 양도한다. 나. 이와 같은 채권양도의 효력을 확실히 하기 위해 가해자는 즉시 가해차량의 보험회사인 OO보험주식회사에 채권양도 통지를 한다. 다. 이 합의로서 가해자의 보험금 청구권은 피해자에게 채권양도 되었기에 가해자가 보험회사에 대한 보험금청구권을 포기할 수 없고, 만일 가해자가 이를 어겨 보험회사에 대한 보험금 청구권을 포기할 경우에는 위 합의금을 피해자 유족대표에게 다시 지급한다.

3. 기타사항
가. 위 합의사항을 확실하게 하기 위해 이 합의서를 제3부 작성하여 1부는 수사기관 또는 법원에 제출하고 나머지는 가해자측과 피해자측에서 1부씩 보관한다.
나. 이 합의서와 관련한 채권양도 통지를 가해자가 내용증명(또는 배달증명)으로 보험회사에 발송한 후, 내용증명 원본을 피해자에게 교부한 때로부터 이 합의서의 효력이 발생한다.
(채권양도통지를 하지 않으면 이 합의는 무효로 한다.)

4. 첨부서류
가. 피해자 유족들의 가족관계증명서 1부
나. 피해자 유족들의 인감증명서(합의용) 각 1부
다. 유족대표 신분증 사본(합의용) 1부

20 년 월 일

가 해 자		피 해 자 (亡) 성 춘 향의 유족대표	
성 명	홍 길 동 (인)	성 명	성 유 족 (인)
주 소	서울시 강북구 강북로 11	주 소	경기도 광명시 광명로 33
주민번호	123456-1234567	주민번호	222222-1333333

4. 채권양도통지서_사망사고

채 권 양 도 통 지 서

통지인(이 사건 가해차량 운전자)		피통지인(가해차량의 보험회사)	
성 명	홍 길 동 (인)	대표이사	김 대 표 (인)
주 소	서울시 강북구 강북로 11	회 사 명	OO보험주식회사
주민번호	123456-1234567	주 소	서울시 종로구 종로로 11

통지인은 피통지인에게 아래와 같이 채권양도 통지합니다.

1. 교통사고 내용

사고일시	20XX. XX. XX.	사고장소	서울시 강남구 홍길로 18
가 해 자	홍 길 동	가해차량	11가 1234
피 해 자	(亡) 성 춘 향	주민번호	123456-1234567

2. 양도채권의 내용

합의금액	金 삼천만원 (₩30,000,000-)
채권양도	가. 통지인은 위 사건의 피해자 유족대표에게 법률상손해배상금의 일부로서 위 금액을 지급하고 형사합의 했습니다. 나. 손해배상의 일부가 유족대표에게 지급되었기에 위 돈에 대하여 통지인이 보험회사를 상대로 보험금 청구권이 발생되었는 바, 그 권리를 통지인은 형사합의 하면서 유족대표에게 채권양도 하였습니다. 다. 따라서 통지인이 귀사를 상대로 청구하여야 할 보험금 청구권은 채권양도되어 통지인에게 권리가 없고 유족대표에게 권리 이전되었기에 유족대표가 귀사를 상대로 양수금을 청구할 것이니 그 경우 즉시 유족대표에게 위 돈을 지급해 주시기 바랍니다.

3. 첨부서류 : 합의서 사본 1부.

20 년 월 일

통 지 인(발신인) : 홍 길 동 (인)
주 민 등 록 번 호 : 123456-1234567
주 소 : 서울시 강북구 강북로 11

피통지인(수신인) : OO보험주식회사 (OO공제조합)
대표이사(사장) : 김 대 표 귀중
주 소 : 서울시 종로구 종로로 11

운전자보험

질문 14: 변호사선임비용[=방어비용]이 뭔가요?

구분	변호사선임비용	변호사선임비용(경찰조사포함)
지급 사유	자동차를 운행하던 중, 타인의 신체에 상해를 입혀 '공소제기'가 된 사고에 의해 피보험자가 변호사를 선임하는 경우 ※ 경찰조사 단계에서 무혐의 또는 약식기소시는 운전자보험에서 면책 **▎변호사선임비용 청구 가능한 경우** ① 피보험자가 구속영장에 의해 구속되는 경우 ② 검찰에 의해 공소제기 (단, 약식기소는 제외) ③ 약식기소 되었으나 보통의 심판절차인 공판절차에 의해 재판이 진행된 경우	자동차를 운행하던 중, 타인의 신체에 상해를 입혀 '경찰조사 단계'부터 변호사를 선임하는 경우 ※ 경찰조사 단계부터 변호사선임비용이 보상 **▎경찰조사부터 변호사선임이 유리한 세가지** ① 조사과정에 동행하여 합의과정을 진행 ② 불합리한 합의금 요구 등에 타당한 논리로 설득 ③ 가해자(피의자)인경우 불리한 진술 통제 가능

용어 설명

구분	용어풀이	변호사비용
기소	검사가 특정한 형사사건으로 법원에 심판을 청구한 경우	변호사 선임가능
불기소	조사 후 범죄행위가 인정되지 않음	
약식기소	수사기록을 통해 서류로 판단 후 벌금확정 ※ 만약, 벌금형에 불복시 정식재판 청구 가능	변호사 선임가능 변호사선임비용 (경찰조사포함) 가입시

▎검경수사권 조정 (2021.1월 시행) — 변호사의 조기 조력이 더 중요!!!

	조정 전	조정 후
경찰	경찰이 수사한 '모든 사건'을 검찰로 송치	범죄 '혐의 인정된 경우'만 검찰로 송치
	수사 종결권 없음	1차적 수사 종결권 부여
검찰	검사가 기소 / 불기소 결정	

보장 내역

구분	변호사 선임비용
가입금액	**1사고당 5,000만원 (실손)**
필요서류	① 청구서(회사양식) ② 사고증명서(소장,판결문,선임변호사가 발행한 세금계산서) ③ 피보험자 신분증

※ 대한민국은 1사고마다 "3심제도"를 체택 => 1심 : 지방법원 / 2심(항소심) : 고등법원 / 3심(상고심) : 대법원까지를 합산하여 적용

고반물질30은 다모아미디어의 고유자산으로 무단 전제·복제 및 임의 사용시 저작권법 위반으로 5년이하의 징역 혹은 5천만원 이하의 벌금형이 부과됩니다.

| 질문 15 | 운전자보험에서 '면허취소'나 '면허정지' 비용도 나오나요? |

'면허정지'
[영업용운전자용]

피보험자가 자동차를 운전하던 중에 급격, 우연한 자동차사고로 타인의 신체나 재물을 손상함으로써 피보험자의 **자동차운전면허**가 **행정처분**에 의해 '**일시정지**'되었을 때에는 보험수익자에게 면허정지기간 동안 **최고60일을 한도로 1일당 가입금액 지급**

면허**정지**

'면허취소'
[영업용운전자용]

피보험자가 자동차를 운전하던 중에 급격, 우연한 자동차사고로 타인의 신체나 재물을 손상함으로써 피보험자의 **자동차운전면허**가 **행정처분**에 의해 '**취소**'되었을 때에는 보험수익자에게 **보험가입금액**을 '면허취소' 보험금으로 지급

면허**취소**

※ 과거에는 개인용운전자들도 가입할 수 있는 담보였으나 지금은 대부분 회사들이 **영업용운전자들만 가입**할 수 있는 담보로 **축소**됨

질문 16: 12대중과실사고에 대해 설명해 주세요?

①
신호 및 지시위반

②
중앙선침범, 불법횡단, 유턴, 후진위반

③
속도위반

④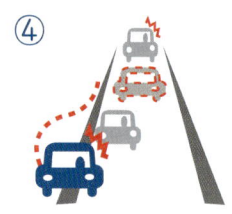
앞지르기금지, 끼어들기 금지위반

⑤
건널목 통과방법위반

⑥
횡단보도에서의 보행자보호의무위반

⑦
보도침범 또는 보도횡단방법위반

⑧
승객추락 방지의무위반

⑨
어린이보호구역(스쿨존) 주의의무위반

⑫
화물고정조치위반
[17년12월부터]

면책조항

⑩
음주운전 또는 약물복용운전

⑪
무면허운전

운전자보험에서
'음주운전' & '무면허운전'
무조건 면책

질문 17: 12대중과실사고와 음주운전 사고시 어떤 처벌을 받게 되나요?

12대 중과실 사고 시 처벌

12가지에 해당하는 사고를 발생시킨 경우, 피해자와 합의여부 및 보험가입여부에 상관없이 기소되어 형사처벌을 받게 됩니다. [교통사고처리특례법 법률 제10790호 3조 2항]

 사람이 피해를 입는 경우
: 5년이하의 금고 또는 2천만원 이하의 벌금

 물적 피해만 있는 경우
: 2년이하의 금고 또는 5백만원 이하의 벌금

 행정적 조치
: 운전면허정지처분 · 벌점처분 · 범칙금 부과등

 보험사: 피해자의 병원비와 피해보상금 부담
가해자: 형사합의금 직접 부담

음주운전 처벌, 윤창호법 개정 [2023년 4월 4일부터 시행]

음주운전 : 초범

음주운전 단속 기준	0.03% 이상
면허정지 기준	0.03%~0.08%미만
면허취소 기준	0.08%이상

- 혈중 알콜 농도 0.03~0.08% : 500만원↓ 벌금, 1년↓ 징역
- 혈중 알콜 농도 0.08~0.2%↓ : 500만원↑~1천만↓ 벌금, 1년↑~2년↓ 징역
- 혈중 알콜 농도 0.2%↑ : 1천만↑~2천만원↓ 벌금, 2년↑~5년↓ 징역
- 음주측정거부 : 500만원↑~2천만원↓ 이하 벌금, 1년↑~5년↓ 징역

음주운전 : 2아웃 가중처벌

2회이상 음주운전 또는 음주측정거부 시 가중처벌 적용

※ 전범과 후범 간의 시간적 제한을 10년으로 설정하되 후범의 기산점을 전범에 대한 벌금 이상의 형이 확정된 날부터 10년

- 2아웃이상 가중처벌 기본 법정형 : 500만원↑~3천만↓ 벌금, 1년↑~6년↓ 징역
- 혈중 알콜 농도 0.03~0.2%↓ : 500만원↑~2천만↓ 벌금, 1년↑~5년↓ 징역
- 혈중 알콜 농도 0.2%↑ : 1천만↑~3천만원↓ 벌금, 2년↑~6년↓ 징역

 **질문 18** 운전자보험에서 **면책조항**은?

 면책조항은 **음주·무면허·뺑소니·마약·약물·보복운전**

음주운전

무면허운전

뺑소니운전

마약·약물운전

보복운전

질문 19 : 민식이법(法)이 뭐고 왜? 기존 가입한 운전자보험을 보완해야 한다 하는 건가요?

민식이법(法) 시행!!! [2020년 3월 25일] : 운전자보험 강화 필수!!!

- **민식이법** : 스쿨존에서 안전규정을 지키지 않고, 어린이 사망 및 상해를 입힌 가해자에게 가중처벌을 받도록 하는법
- 2019년 9월 11일 충청남도 아산시 온양중학교 어린이보호구역 내 횡단보도에서 9살 '김민식'군이 사망한 교통사고인데, 당시 코란도 운전자는 23.6Km로 규정을 지켰으나 처벌을 면하기가 어려울 것이라 합니다.
  실제로 문재인 대통령의 국민과의 대화에서 김민식 군의 부모님이 눈물로써 탄원했고 '더불어민주당'의 신속한 추진으로 민식이법이 2020년 3월 25일부로 통과 됨

어린이보호구역에서 어린이 치사상의 가중처벌기준 [특가법 제5조의 13]

- 어린이보호구역에서 운전자가 '어린이의 안전에 유의하면서 운전하여야 할 의무'를 위반하여 어린이(13세 미만)를 **사망**케 한 경우 : **무기 또는 3년이상의 징역**
- 어린이를 **상해**에 이르게 한 경우 : **1년 이상 15년 이하의 징역** 또는 **500만원~3천만원이하의 벌금**

민식이법 논란의 이유 : 처벌의 형평성과 과도하고 애매한 규정

- 문제는 이 법이 지나치게 강한 처벌로 논란이 많은 이유는?
  '어린이의 안전에 유의하면서 운전해야 할 의무를 위반'이란 항목인데 '운전자의 과실이 0%가 아닐 경우 민식이법을 피해 갈 수 없다'는 것
- 운전자들 사이에서 우스갯소리로 '스쿨존을 피해가는 네비를 만들어야 한다', '스쿨존에서는 차를 밀고다녀야 한다' 함

질문 20: '교통사고'의 정의에 대해 정확히 설명해 주세요?

 **운전의 정의 :**
도로 여부, 주정차 여부, 엔진의 시동 여부를 불문하고 피보험자가 자동차 **운전석에 탑승**하여 **핸들을 조작**하거나 **조작 가능한 상태**에 있는 것을 말함

피보험자가 운전자인 경우
① 운전 중 사고
② 운행여부를 떠나 기타교통수단에 탑승 중 급격,우연,외래 사고
③ 운행여부를 떠나 미탑승중 교통수단(적재물 포함)과의 충돌,접촉,화재,폭발등의 교통사고

피보험자가 비운전자인 경우
① 운행중인 자동차에 비운전중 탑승 또는 운행중인 기타교통수단에 탑승(운전을 포함)중 급격,우연,외래의 사고
② 운행중인 자동차 및 기타교통수단에 미탑승(운전을 포함)중 운행중인 자동차 및 기타 교통수단(적재물포함)과의 충돌,접촉,화재,폭발등의 교통사고

자동차
① 승용자동차, 승합자동차, 화물자동차, 특수자동차, 이륜자동차
② 6종건설기계 (덤프트럭,타이어식 기중기,콘크리트믹서트럭,트럭적재식 콘크리트펌프,트럭적재식 아스팔트살포기,타이어식 굴삭기)

기타교통수단
① 기차, 전동차, 기동차, 케이블카(공중케이블카를 포함), 리프트, 엘리베이터 및 에스컬레이터, 모노레일
② 스쿠터, 자전거, 원동기를 붙인 자전거 ③ 항공기, 선박(요트, 모타보트, 보트 포함)
④ 건설기계를 제외한 6종건설기계 및 농업기계
⑤ 건설기계 및 농업기계가 작업기계로 사용되는 동안은 자동차 또는 기타 교통수단 으로 보지 않음

목차 [질문 21~30번]

21. '중상해'의 기준은 어떻게 되나요?

22. '도주'의 기준은 어떻게 되나요?

23. '보복운전'과 '난폭운전'은 어떤 차이가 있나요?

24. 운전자보험 변천사에 대해서 설명해 주세요?

25. 보험료가 저렴한 운전자보험은 없나요?

26. 운전자보험은 몇 세까지 가입하는게 좋을까요?

27. 운전자보험은 중복보상이 안된다면서요?

28. 자동차부상치료비[자부치]특약이 뭔가요?

29. '자동차부상치료비특약(자부치)'의 급수(9~14급)별 상해내용을 자세히 알려주세요?

30. 최근 운전자보험에서 판매하는 새로운 트렌드담보는 어떤게 있나요?

질문 21 : '중상해'의 기준은 어떻게 되나요?

중상해의 기준? '중증이상의 영구적 장애 [대법원예규]
① 생명에 대한 위험 ② 불구 ③ 불치나 난치의 질병 ④ 기타

중상해의 기준은 아래와 같습니다.

① 생명에 대한 위험 : 인간의 생명 유지에 불가결한 뇌 또는 주요 장기에 대한 중대한 손상

② 불구 : 사지절단 등 신체 중요 부분의 상실, 중대 변형 또는 시각, 청각, 언어, 생식기능 등
　　　중요한 신체기능의 영구적 상실

③ 불치나 난치의 질병 : 사고 후유증으로 인한 중증의 정신장애, 하반신 마비 등 완치
　　　　　　　　가능성이 없거나 희박한 중대 질병

④ 기 타 : 치료기간, 국가배상법 시행령상의 노동력 상실률, 의학 전문가의 의견,
　　　　사회통념 등을 종합적으로 고려하여 개별 사안에 따라 구체적으로 판단함

※ 만일 중상해로 **형사합의**를 하여야 한다면 운전자보험에서 **중상해에 적용되느냐**가 **중요**합니다.
※ **중상해**로 인한 **교통사고 합의금** : ① 위자료 ② 휴업손해 ③ 기타손해배상금 ④ 상실수익액등

질문 22 '도주'의 기준은 어떻게 되나요?

 **도주** : 사람이 사상 당하였을 경우 **구호조치, 연락처를 교환하지 않고** 현장을 **이탈**한 경우
※ 사이드 미러를 파손하고 도주한 경우 : 도주 X

도주의 요건

1. 피해자 구호조치
2. 연락처를 교환하지 않고 현장 이탈   둘중 하나라도 안하면 '**도주**'로 간주

도주의 피해

1. 최하벌금 : 500만원
2. 면허취소 & 4년간 면허취득 X   기소할 경우 '**벌금**', '**변호사비용**' 발생
3. 3주이상 : 원칙적 구속사유   적당한 금액의 합의가 바람직

도주에 대한 대처요령

1. 상대방의 연락처 받기 : 상대방의 핸드폰에 내 번호를 입력, 명함을 주더라도 못 받았다 할 수 있음
2. 녹취 및 사진촬영 : 상대방과의 대화내용을 휴대폰으로 녹취 및 사진촬영
3. 보험사에만 신고하는 경우 : 상대방 피해자가 내가 어느 보험사에 가입했는지 모르므로 도주로 간주
4. 병원에 입원시켜놓고 자리를 급히 이탈시 : 반드시 원무과에 보험사, 연락처등을 남길 것

운전자보험

질문 23 '보복운전'과 '난폭운전'은 어떤 차이가 있나요?

보복운전의 유형

① 추월해서 급가속·급제동 ② 급정지로 막고 욕설·위협 ③ 뒤쫓아가 고의로 충돌
④ 급 차로 변경을 하거나 다른 차량을 중앙·갓길로 밀어 붙이고 차로 급 변경

보복운전 & 난폭운전의 차이

구분	보복운전	난폭운전
대상	특정인	불특정다수인
행위양태	상해, 특수폭행, 협박, 손괴	위협 또는 위해를 가하거나 교통상 위험 야기
행위의반복성	단 1회의 행위로도 성립가능	①신호위반 ②중앙선침범 ③과속 ④횡단,유턴,후진금지위반 ⑤진로변경 ⑥급제동 ⑦앞지르기위반 ⑧안전거리미확보 ⑨정당한 사유없이 소음발생 : 이중 둘 이상의 행위를 연달아 하거나 하나의 행위를 지속·반복한 경우 성립
처벌근거법률	형법 (상해, 특수폭행, 협박, 손괴)	도로교통법 (2016. 02. 12. 시행)
법정형	* 특수상해 : 1년~10년 징역 * 특수협박 : 7년이하의 징역, 1천만원이하의 벌금 * 특수폭행 : 5년이하의 징역, 1천만원이하의 벌금 * 특수손괴 : 5년이하의 징역, 1천만원이하의 벌금	1년이하의 징역 또는 500만원이하의 벌금
행정처분	* 불구속시 : 벌점 100점(100일 정지처분) * 구속시 : 운전면허 취소처분	* 입건시 : 벌점 40점(40일 정지처분) * 구속시 : 운전면허 취소처분

고반물질30은 다모아미디어의 고유자산으로 무단 전제·복제 및 임의 사용시 저작권법 위반으로 5년이하의 징역 혹은 5천만원 이하의 벌금형이 부과됩니다.

질문 24: 운전자보험 변천사에 대해서 설명해 주세요?

구분			~2007년10월	2007년10월~2009년9월	2009년10월~2017년12월	2018년1월~2018년12월	2019년1월~2020년9월	24년4월말 (※oo화재)
사망,중상해,부상1~3급			1,000만원	3,000만원	3,000만원	3,000만원	1억원	2~2.5억원
교통사고처리지원금	중과실 사고 피해자 진단 주수	24주이상	100만원	1,500만원	3,000만원	3,000만원	1억원	1.5~2억원
		20주이상	100만원	1,500만원	3,000만원	3,000만원	1억원	1~2억원
		10주이상	100만원	600만원	2,000만원	2,000만원	7,000만원	9,000만원
		6주이상	100만원	300만원	1,000만원	1,000만원	2,000만원	2,500만원
		6주미만	해당없음					700~1,000만원
		4주미만	해당없음					250~500만원
	중상해사고		X	X	3,000만원	3,000만원	1억원	2~2.5억원
	동승자(타인)		X	X	보상가능	보상가능	보상가능	보상가능
	직계가족		직계가족은 '가해자=피해자'가 같으므로 배상책임이 발생하지도 보상하지도 않음					
	보상조건		정액형 중복보상		실손형 비례보상 (단, 총 한도가 늘어남)			
	합의금(후/선지급형)		후지급형(합의금 선지급하고 보험사로부터 받는 형태)			선지급형 (보험사가 피해자에게 직접 지급)		
	공탁금(50%선지급형)		해당없음					선지급50%포함
변호사선임비용			정액 1백~5백만 [최대5백만원]		실손 5백만원		실손 2,000만원	실손 5,000만원
변호사선임비용(경찰조사포함)			해당없음					실손 5,000만원
벌금	대인		한도 1,000만~2,000만원					한도 2,000만원 (스쿨존내 3,000만원)
	대물		X					500만원
자동차부상치료비 (14급)			해당없음		※ 2011.10월부터 판매 : 자부치			30~50만원

※ 교통사고처리지원금(4주미만 지급),공탁금(50%선지급형),변호사선임비용(경찰조사포함),자부치는 보험사별로 부책,면책,보험금의 차이가 있으니 반드시 확인바람!!!

고반물질30은 다모아미디어의 고유자산으로 무단 전제·복제 및 임의 사용시 저작권법 위반으로 5년이하의 징역 혹은 5천만원 이하의 벌금형이 부과됩니다.

질문 25: 보험료가 저렴한 운전자보험은 없나요?

- 단독가입도 가능하나 "타 장기상품내 특약" 또는 "자동차보험의 특약"으로 가입
- 아래의 "선택할 수 있는 보험조건"을 잘 활용 : 전(숲) 손보사 운전자보험을 비교 분석"

내가 '선택할 수 없는' 보험조건

- 나이
- 성별
- 직업
- 병력사항

내가 '선택할 수 있는' 보험조건

- 보험기간 & 보장기간
- 순수보장형 & 만기환급형
- 비갱신보험 & 갱신형보험
- 선택특약

질문 26 운전자보험은 **몇 세까지 가입**하는게 좋을까요?

운전자보험은 당연히 80~100세만기로 가입하는 경우가 많은데
운전자의 특성이나 **건강**을 **고려**하여 가입하는 게 합리적

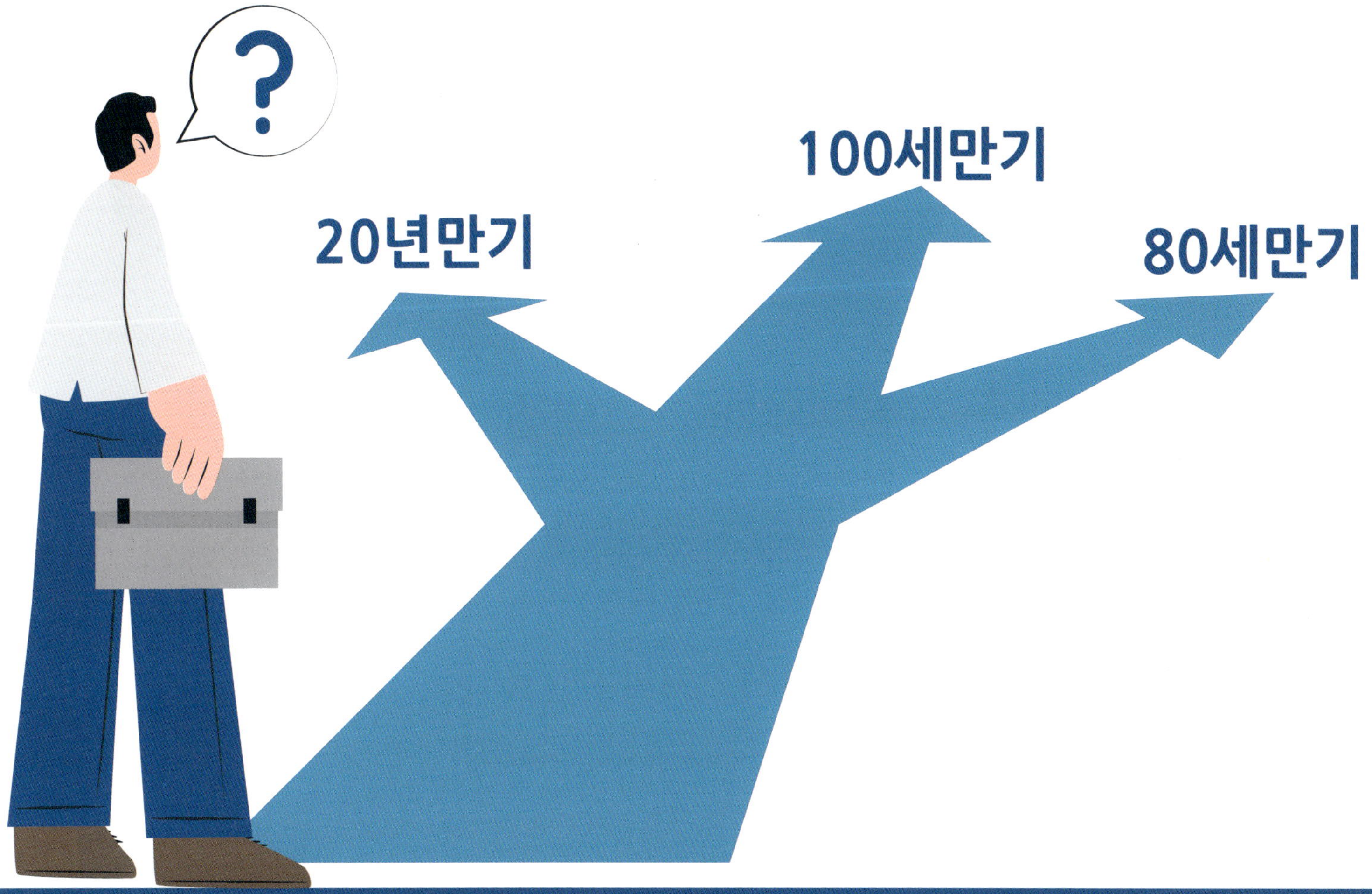

20년만기   100세만기   80세만기

운전자보험

질문 27: 운전자보험은 **중복보상**이 안된다면서요?

 **중복보상 안되는 담보**
① 의료실비보험 ② 배상책임보험
③ 운전자보험 담보중 '벌금 & 교통사고처리지원금 & 변호사선임비용'

1. 벌금

2. 교통사고처리지원금

3. 변호사선임비용

고반물질30은 다모아미디어의 고유자산으로 무단 전제·복제 및 임의 사용시 저작권법 위반으로 5년이하의 징역 혹은 5천만원 이하의 벌금형이 부과됩니다.

질문 28: 자동차부상치료비[자부치]특약이 뭔가요?

 **자부치** : 자동차사고로 인한 **본인의 부상치료비를 지원**하는 **특약** 담보

 **보상하는 손해** : 운전중 · 탑승중 · 보행중 사고로 **부상정도**에 따라 **보험금 지급**

운전중 사고
피보험자가 '자동차를 운행하던 중'에 발생한 급격, 우연한 자동차 사고

탑승중 사고
피보험자가 운행중인 '자동차에 탑승하고 있지 않은 상태로 탑승하고' 있을 때 발생한 급격, 우연한 자동차 사고

보행중 사고
피보험자가 운행중인 '자동차에 탑승하지 않은 때' 운영중인 자동차와의 충돌, 접촉, 화재 또는 폭발 등의 교통사고

 **보험금 청구서류**   상대 보험사의 **자동차보험 보상처리 및 치료비 지급내역**이 나와있는 **서류가 필요**

'교통사고 사실 확인원'
(지급결의서 또는 사고사실 확인원)
상해등급과 교통사고에 대한 사실이 모두 나와 있어야 함
① 교통사고로 인해 발생한 것인지
② 상해급수

대인처리한 경우
① 보험금청구서
② 지급결의서 (대인담당자에게 요청)
③ 신분증 사본

대인처리하지 않는 경우
① 보험금청구서
② 지급결의서 (대물담당자에게 요청)
③ 신분증 사본
④ 초진기록지 (치료받은 병원)

운전자보험

질문 29: '자동차부상치료비특약(자부치)'의 급수(9~14급)별 상해내용을 자세히 알려주세요?

구분	상해내용
9급	1. 안면부의 비골골절로 수술을 시행한 상해
	2. 2개이하의 단순 늑골 골절
	3. 고환 손상으로 수술을 시행한 상해
	4. 음경 손상으로 수술을 시행한 상해
	5. 흉골 골절
	6. 추간판 탈출증
	7. 흉쇄관절 탈구
	8. 주관절 내측 또는 외측 측부 인대 파열로 미수술 상해
	9. 요수근관절 탈구로 수술을 시행하지 않은 상해
	10. 수지골 골절로 수술을 시행한 상해
	11. 수지관절 탈구
	12. 슬관절 측부인대 부분 파열로 수술을 시행하지 않은 상해
	13. 2개이하의 중족골 골절로 수술을 시행하시 않은 상해
	14. 수족지골 골절 또는 수족지관절 탈구로 수술한 상해
	15. 그 밖에 견연골절 등 제불완전 골절
	16. 아킬레스건,슬개건,대외 사두건 또는 대퇴 이두건 파열로 수술을 미시행한 상해
	17. 수족지 신전건 1개의 파열로 건 봉합술을 시행한 상해
	18. 사지의 주요 혈관손상으로 봉합술을 시행한 상해
	19. 11치이상 12치이하의 치과보철을 필요로 하는 상해
	20. 그 밖에 9급에 해당한다고 인정되는 상해
10급	1. 3cm이상 안면부 열상
	2. 안검과 누소관 열상으로 봉합술과 누소관 재건술을 한 상해
	3. 각막,공막 등의 열상으로 일차 봉합술만 시행한 상해
	4. 견관절부위의 회전근개 파열로 수술을 미시행한 상해
	5. 외상성 상부관절와순 파열 중 수술을 미시행한 상해
	6. 수족지관절 골절 및 탈구로 수술을 미시행한 상해
	7. 하지 3대관절의 혈관절증

구분	상해내용
10급	8. 연부조직 또는 피부결손으로 수술을 미시행한 상해
	9. 9치이상 10치이하의 치과보철을 필요로 하는 상해
	10. 그 밖에 10급에 해당한다고 인정되는 상해
11급	1. 뇌진탕
	2. 안면부의 비골 골절로 수술을 미시행한 상해
	3. 수지골 골절로 수술을 시행하지 않은 상해
	4. 수족지골 골절 또는 수족지관절 탈구로 수술을 시행하지 않은 상해
	5. 6치이상 8치이하의 치과보철을 필요로 하는 상해
	6. 그 밖에 11급에 해당한다고 인정되는 상해
12급	1. 외상 후 급성 스트레스 장해
	2. 3cm미만 안면부 열상
	3. 척추 염좌
	4. 사지 관절의 근 또는 건의 단순 염좌
	5. 사지의 열상으로 창상 봉합술을시행한 상해(길이에 관계없이 적용한다)
	6. 사지 감각 신경손상으로 수술을 시행하지 않은 상해
	5. 4치이상 5치이하의 치과보철을 필요로 하는 상해
	6. 그 밖에 12급에 해당한다고 인정되는 상해
13급	1. 결막의 열상으로 일차 봉합술을 시행한 상해
	2. 단순 고막 파열
	3. 흉부 타박상으로 늑골 골절없이 흉부의 동통을 동반한 상해
	4. 2치이상 3치이하의 치과보철을 필요로 하는 상해
	5. 그 밖에 13급에 해당한다고 인정되는 상해
14급	1. 방광,요도,고환,음경,신장,간,지라 등 손상으로 수술을 시행하지 않은 상해
	2. 수족지 관절 염좌
	3. 사지의 단순 타박
	4. 1치이하의 치과보철을 필요로 하는 상해
	5. 그 밖에 14급에 해당한다고 인정되는 상해

고반물질30은 다모아미디어의 고유자산으로 무단 전제·복제 및 임의 사용시 저작권법 위반으로 5년이하의 징역 혹은 5천만원 이하의 벌금형이 부과됩니다.

 **질문 30** 최근 **운전자보험**에서 판매하는 새로운 **트렌드담보**는 어떤게 있나요?

 **교통사고처리지원금** 중 '**형사 공탁금 50% 선지원특약**'
: 22년12월 9일부터 '**형사공탁법**' 개정 (피해자 인적사항 몰라도 '사건번호'만 알면 공탁 가능)

 **교통사고처리지원금** 중 '**4주미만/6주미만/중대법규위반특약**'
: 과거 6주이상시 지급하던 교사처를 '**4주미만, 6주미만, 중대법규위반시**'도 지급

 **변호사선임비용** 중 '**경찰조사 포함**' : 검경수사권의 조정(21년1월시행)으로 과거 경찰이 수사한 모든 사건을 검찰에 송치 (경찰 : 수사종결권無)하여 검사가 기소/불기소를 결정했으나 **지금은 '범죄 혐의가 인정된 경우'**에 한해**(경찰:1차적 수사종결권有)** 검찰에 송치하므로 사건발생 초기 **변호사의 조력과 역할이 더 커짐**

 안면부/전체 '**창상봉합술 치료비 / 골절철심제거 수술비 등**'
: 안면부/전체 창상봉합술 치료비 / 골절철심제거 수술비 등 판매

 '**외상후 스트레스장애진단비 (PTSD)**'
: 외상후 스트레스장애진단시 진단비 지급 (※일부 보험사)

 '**자전거사고 벌금 / 자전거 사고처리지원금**'
: 자동차가 아닌 자전거사고 벌금/사고처리지원금 특약도 판매 (※일부 보험사)

 '**실버존 자동차사고부상치료비(1~9급)**'
: 실버존 자동차사고 부상치료비 특약도 판매 (※일부 보험사)

운전자보험

고객이 반드시 물어보는 질문 30가지

손해보험 | **내 재산보호** 필수보험 | 우리집에서 불똥이 튀어 남의 집에 옮겨 붙어도 전부 내책임? 거기에다 벌금까지 내야 한다고?!?

화재보험

화재보험

고반물질30은 **다모아미디어**의 고유자산으로 무단 전제·복제 및 임의 사용시 저작권법 위반으로 5년이하의 징역 혹은 5천만원 이하의 벌금형이 부과됩니다.

[화재보험 기초이론]

화재보험 [기초이론]

화재보험을 이해하기 위한 기초이론

목차 [기초이론]

- 건물의 주요구조부 5가지
- 가연재료 vs 불연재료
- 건물급수 적용
- 1급건물~4급건물
- 목적물과 물건의 분류
- 요율적용시 유의사항
- 보험가입금액 vs 보험가액 vs 재조달가액
- 일부보험 지급보험금 계산방법

화재보험

기초이론 | 건물의 **주요구조부 5가지**

예) 단층건물

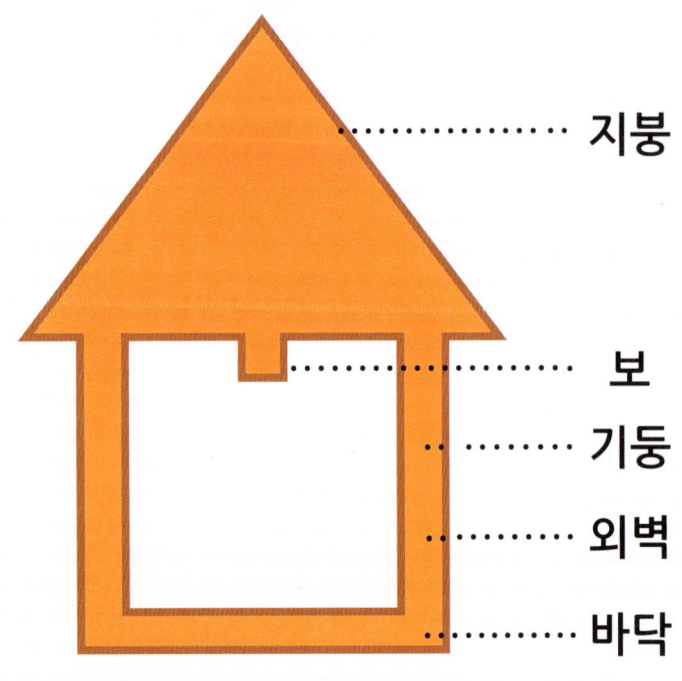

- 지붕
- 보
- 기둥
- 외벽
- 바닥

예) 다층건물

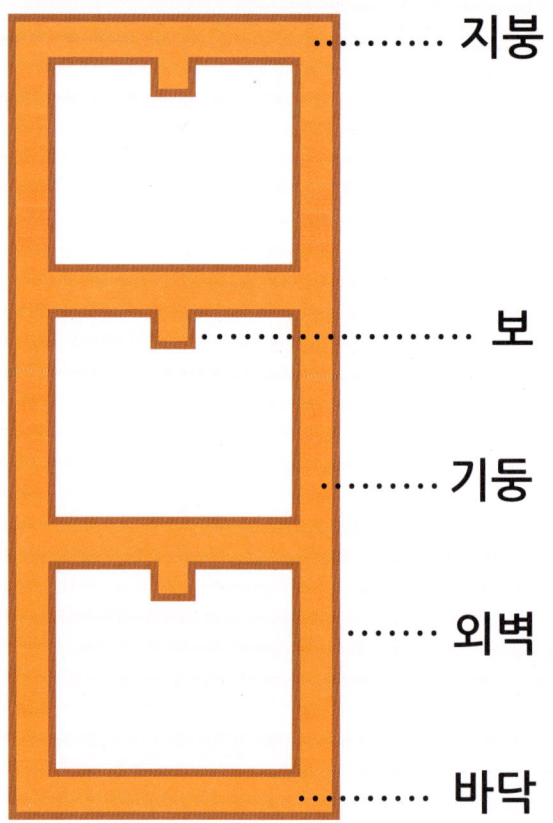

- 지붕
- 보
- 기둥
- 외벽
- 바닥

고반물질30은 다모아미디어의 고유자산으로 무단 전제·복제 및 임의 사용시 저작권법 위반으로 5년이하의 징역 혹은 5천만원 이하의 벌금형이 부과됩니다.

기초이론: 가연재료 vs 불연재료

화재보험에서의 건축재료
- 불에 타는 재료 [=가연재료]
- 불에 타지않는 재료 [=불연재료]

불에 타는 재료 [=가연재료]
- 목재
- 플라스틱재
- 고무재
- 스티로폼

불에 타지않는 재료 [=불연재료]
- 벽돌재
- 철근재
- 블록재
- 모르타르재

기초이론: 건물급수 적용은 어떻게 하나요?

구분	기둥/보/바닥	지붕[틀]	외벽	보험료
1급	내화구조	내화구조	내화구조[콘크리트조, 조적조]	1급 ↕ 4급
2급	내화구조	불연재료	내화구조[콘크리트조, 조적조]	
3급	불연재료	불연재료	불연재료	
4급	가연재료	가연재료	가연재료	

하나의 건물이 구조급별을 달리 하는 둘이상의 부문으로 구성된 경우에는 그 중 최열급의 구조급수를 건물전체의 급수로 합니다.

[예 : 건물외벽은 1급인데 지붕재료가 2급이면 전체 '2급'으로 판단함]

기초이론: 1급건물

1급
- 지붕 : 철근콘크리트슬라브지붕 [내화구조]
- 기둥/보/바닥 : 철근콘크리트조 [내화구조]
- 외벽(외장재) : 유리마감/철재재료 [내화구조]
  [화재위험급수판정과 무관]

1급
- 지붕 : 철근콘크리트슬라브지붕 [내화구조]
- 기둥/보/바닥 : 철근콘크리트조 [내화구조]
- 외벽 : 콘크리트조/유리/철재재료 [내화구조]
- 외장재 : 철판외장재(불연재료)/비내화구조
  [화재위험급수판정과 무관]

기초이론 | 2급건물

2급

- 지붕 : 철판재료잇기구조 / 불연재료 [비내화구조]
  ※둥글고 멋있는 모양은 콘크리트로 만들기 힘듦
- 기둥/보/바닥 : 철근콘크리트조 [내화구조]
- 외벽(외장재) : 철근콘크리트조 / 적벽돌조 [내화구조]

<<< 건물 전체는 1급건물 같이 판단되지만 지붕이 비내화구조라 2급을 적용 >>>

기초이론 — 3급건물

3급

- 지붕 : 철판잇기구조(불연재료) [비내화구조]
- 기둥/보 : 철골/철판조(불연재료) [비내화구조]
- 외벽(외장재) : 철판조(불연재료) [비내화구조]
- 바닥 : 콘크리트조 [내화구조]

3급

- 지붕 : 철판잇기구조(불연재료) [비내화구조]
- 기둥/보 : 철골/철판조 [비내화구조]
- 외벽 : 샌드위치판넬(불연재료) [비내화구조]
- 바닥 : 콘크리트조 [내화구조]

기초이론: 4급건물

4급

- 지붕 : 기와 (불연재료) [비내화구조]
- 기둥/보/바닥 : 목조(불연재료) [비내화구조]
- 외벽(외장재) : 목조(가연재료)/황토(불연재료) [비내화구조]

4급

- 지붕 : 목재지붕틀/아스팔트쉥글 [비내화구조]
- 기둥/보 : 목조(가연재료) [비내화구조]
- 외벽 : 목조(불연재료) [비내화구조]
- 바닥 : 콘크리트조 [내화구조]

기초이론 — 물건의 분류

구분	대상

주택물건	순수한 주택만으로 쓰이는 건물 및 그 수용가재에 적용
	1. 단독주택 [다중주택, 다가구주택 포함]
	2. 주택의 부속건물로써 가재만을 수용하는 데 쓰이는 것
	3. 연립(다세대주택), 아파트로서 각호(실)가 모두 주택으로 쓰이는 것
	4. 주택병용 건물로써 아래의 용도로 사용하는 건물 및 수용가재
	   ① 교습소(피아노, 꽃꽂이, 국악, 재봉등)
	   ② 치료(안수, 찜질, 뜸질, 마사지, 접골, 조산원 및 이와 비슷한 것)
	※ 오피스텔은 주택물건이 아님 [일반물건]

일반물건	주택물건 및 공장물건을 제외한 물건 1. 병용주택, 점포, 사무실의 부속건물 및 옥외설비, 장치, 공작물 또는 이들에 수용된 동산, 설치기계 및 야적동산 2. 창고업자 건물로서 화물보관의 목적으로 쓰이는 것 3. 영업용 보세창고 및 영업용 보세장치장으로서 세관장의 승인을 얻어 보세화물보관의 목적에 쓰이는 것
공장물건	1. 공장 또는 작업장등의 구내에 있는 건물, 공작물 및 이에 수용된 동산, 야적의 동산 2. 공장, 작업장(광업소, 발전소, 변전소, 개폐소포함)의 구내에 있는 건물, 공작물 및 이에 수용된 동산 3. 실외 및 옥외에 쌓아둔 동산
위험품	A급 위험품, B급 위험품, 특별위험품

화재보험

기초이론 | 물건의 분류 [**주택**물건]

주택물건

1. **단독주택** [다중주택, 다가구주택 포함]
2. **주택의 부속건물**로써 **가재만을 수용**하는 데 쓰이는 것
3. **연립(다세대주택), 아파트**로서 각호(실)가 모두 주택으로 쓰이는 것
4. **주택병용 건물**로써 아래의 용도로 사용하는 건물 및 수용가재
    ① **교습소**(피아노, 꽃꽂이, 국악, 재봉등)
    ② **치료**(안수, 찜질, 뜸질, 마사지, 접골, 조산원 및 이와 비슷한 것)

※ 오피스텔은 주택물건이 아님 [일반물건]

순수한 주택만으로 쓰이는 건물 및 그 수용가재에 적용

기초이론 | 물건의 분류 [**일반**물건]

일반물건

1. **병용주택, 점포, 사무실**의 **부속건물** 및 **옥외설비, 장치, 공작물** 또는 이들에 **수용된 동산, 설치기계** 및 **야적동산**
2. **창고업자** 건물로서 **화물보관**의 목적으로 쓰이는 것
3. **영업용 보세창고** 및 영업용 **보세장치장**으로서 세관장의 승인을 얻어 **보세화물보관의 목적**에 쓰이는 것

※ 할인항목 : 공지/불연내장재/소화설비/고액계약/특수건물할인
※ 할증항목 : 재고자산(원부재료, 재공품, 반제품, 제품, 부산물, 상품)/고층건물할증

주택물건 및 공장물건을 제외한 전영역에 해당하는 물건

화재보험

기초이론 | 물건의 분류 [**공장**물건]

공장물건

1. 공장 또는 작업장등의 구내에 있는 건물, 공작물 및 이에 수용된 동산, 야적의 동산
2. 공장, 작업장(광업소,발전소,변전소,개폐소포함)의 구내에 있는 건물, 공작물 및 이에 수용된 동산
3. 실외 및 옥외에 쌓아둔 동산

※ 할인항목 : 소화설비/고액계약/특수건물/우량물건할인
※ 할증항목 : 재고자산(원부재료,재공품,반제품,제품,부산물,상품)/고층건물할증

공장, 작업장등의 건물, 공작물 및 동산등

기초이론 | 보험목적물의 분류

- 건물
- 가재도구
- 집기비품
- 집기시설 =인테리어
- 동산
- 기계/장치 공구/기구
- 명기물건

화재보험

기초이론 | 보험목적물 [건물]

건물

토지에 정착하는 공작물 중 지붕과 기둥 또는 지붕과 벽이 있는 것으로서 주거, 작업, 집회, 오락, 저장 등의 용도를 위하여 인공적으로 축조된 건조물

※ 칸막이, 대문, 담, 곳간, 간판, 네온싸인, 안테나, 선전탑, 전기, 통신, 소방, 급배수, 가스, 냉난방, 보일러, 승강기 등

건물 : 인공적으로 축조된 건조물

기초이론 보험목적물 **[가재도구]**

가재도구

개인이 일상의 가정생활용구로써 소유하고 있는 가구, 집기, 의류, 장신구, 침구류, 식량, 연료, 기타 가정생활에 필요한 일체의 물품을 포괄

※ 동식물은 원칙적으로 가재라고 해석하지 않고 화분, 수족관은 가재에 포함

가재도구 = 가정생활에 필요한 물품 [집기비품과 비교]

화재보험

보험목적물 [집기비품]

기초이론

집기비품

> 영업행위를 하기 위한 부수적인 물건으로서 이동이 가능한 것
> ① TV
> ② 냉장고
> ③ 탁자 및 의자
> ④ 에어컨, 선풍기
> ⑤ 그릇 및 식기등 일체

영업을 하기 위해 필요한 제 비품 [가재도구와 비교]

보험목적물 [집기시설]

집기시설

건물의 주 사용용도 및 각종 영업행위에 적합하도록 건물 골조의 벽,천장,바닥 등에 치장,설치 하는 내·외부 마감재나 조명설비 및 부대설비

※ 임차인이 시설,설치하는 경우 : '집기시설'
  건물주가 건물신축과 함께 설치한 것 : '건물'

집기시설 = 인테리어

기초이론 | 보험목적물 [동산]

동산

① 일반상품, 위탁상품, 임대품, 경품

② 전시품, 진열품 및 견본품

③ 제품, 반제품, 재공품, 원재료 및 포장재료

④ 비품인 금고

⑤ 수탁품, 보관화물, 운송화물

⑥ 병원내의 의약품, 영화관내의 필름

동산 ≠ 부동산

보험목적물 [기계/장치/공구/기구]

기초이론

기계/장치/공구/기구

- **기계** : 일반적으로 물리량을 변형, 전달하는 인간에게 유용한 장치
  [동력/작업/측정/지능기계/미싱,화학적발전기,인쇄기,선반등]

- **기계장치** : 기계의 효용으로 물리적 또는 효과를 발생시키는 장치
  [연소장치/냉동장치/전해장치]

- **공구** : 작업과정에서 주된 기계의 보조구로 사용되는 것

- **기구** : 기계 중 구조가 간단한 것 또는 도구 일반을 표시

기계 / 장치 / 공구 / 기구

기초이론 보험목적물 [명기물건]

명기물건

- 통화, 유가증권, 인지, 우표 및 이와 비슷한 것

- 귀금속, 귀중품, 보옥, 보석, 글, 그림, 골동품, 조각물등

- 원고, 설계서, 도안, 물건의 원본, 모형, 증서, 장부등

- 야적의 동산

별도로 명기하지 않으면 보장받지 못하는 물건
[=반드시 명기[별도로]해야만 보상 받을 수 있는 물건]

기초이론: 요율적용시 유의사항

▫ 화재보험 요율적용_방법

물건	사업장 배치	요율적용
하나의 건물	음식점 한 가지만 있다	**음식점** 요율
	복합용도로 한정식집과 PC방이 같이 있다	한정식집도 PC방도 위험율이 높은 **PC방** 요율
층별 방화구획 있는 건물	1층 음식점 / 2층 PC방	방화구획이 있으므로 음식점은 **음식점** 요율 / PC방은 **PC방** 요율 적용

▫ 방화구획 無 건물

3층	극장		사무실
2층	사무실	미장원	다방
1층	식당		신발판매

건물전체 : 극장요율 적용

▫ 방화구획 有 건물

방화구획

3층	극장		사무실
2층	사무실	미장원	다방
1층	식당		신발판매

1층:식당 / 2층:다방 / 3층:극장

기초이론: 보험가입금액 vs 보험가액 vs 재조달가액

- □ **보험가입금액** : 보험사고시 보험회사가 피보험자에게 지급할 최고금액
- □ **보험가액[=시가]** : 보험사고시 피보험자가 받을 수 있는 법률상 보상의 최고한도액
- □ **재조달가액** : 보험의 목적과 같은 것을 재취득 또는 구입하기 위해 드는 비용

■ **전부보험 [보험가액 = 보험가입금액]** : 손해액 전부 보상

■ **일부보험 [보험가액 > 보험가입금액]** : 보험가입금액이 보험가액의 80%미만

　① 주택/일반물건 = 손해액 X 보험가입금액 / 보험가액 X 80%

　② 공장물건/재고자산 = 손해액 X 보험가입금액 / 보험가액

■ **초과보험 [보험가액 < 보험가입금액]** : 손해액은 보험가액까지만 보상

기초이론 | 일부보험 지급보험금 계산방법

▫ 주택/일반물건_화재보험금 계산 예시

구분	보험가입금액	보험가액	손해액	지급보험금
전부보험[가액=가입금액]	1,000만	1,000만	800만	**800만원** 지급
일부보험[가액>가입금액]	500만	1,000만	1,000만	1,000x(500÷(1,000x80%))=625만원 BUT, 가입금액이 500만원이라 **500만원** 지급
	400만	1,000만	100만	100x(400÷(1,000x80%))=**50만원** 지급
초과보험[가액<가입금액]	1,200만	1,000만	1,000만	**1,000만원** 지급

▫ 공장물건 및 재고자산_화재보험금 계산 예시

구분	보험가입금액	보험가액	손해액	지급보험금
전부보험[가액=가입금액]	1,000만	1,000만	800만	**800만원** 지급
일부보험[가액>가입금액]	500만	1,000만	1,000만	1,000x(500÷1,000)=500만원 **500만원** 지급
	400만	1,000만	100만	100x(400÷(1,000))=**40만원** 지급
초과보험[가액<가입금액]	1,200만	1,000만	1,000만	**1,000만원** 지급

▫ 주택/일반물건에서 잔존물제거비용 보험금은 손해액의 10% 한도로 지급

Q : 보험가액이 1억원, 보험가입금액이 4,000만원인 계약 후 손해액이 1,000만원, 잔존물제거비용이 400만원인 화재사고시 잔존물제거비용 보험금은 얼마인가요?

A : 잔존물제거비용 400만원 x 보험가입금액 4천만원 / 보험가액 1억원 x 80% = 200만원
BUT, 잔존물제거비용은 손해액 1,000만원의 10%까지만 보상되므로 **100만원**만 지급됨

화재보험

[화재보험 실전이론]

화재보험 [실전이론]

고객이 반드시 물어보는 30가지 질문

목차 [실전이론]

1. 화재보험 왜? 가입해야 하나요?
2. 화재시 보상해 주는 손해는 무엇인가요?
3. 소멸식 & 적금식 화재보험의 차이는?
4. 장기화재보험이 일반화재보험보다 비용처리에 있어 더 유리하다면서요? 예를 들어 설명해 주세요?
5. 장사가 안되서 그만두면 내가 가입한 보험은 어떻게 되고 만기금은 100% 나오나요?
6. 만약 세들어 장사하는 우리가게가 불이나 건물에 불이 번지면 건물도 보상이 가능한가요?
7. "임차자 배상책임"과 "건물담보"는 어떻게 다른가요? 비교설명해 주세요?
8. 우리가게에 불이나서 옆 가게로 옮겨 붙었을 때 내가 가입한 보험에서 보상이 가능한가요?
9. 반대로 옆의 가게에서 불이나 우리가게로 옮겨 붙으면 보상이 가능한가요? ※옆집 : 화재보험 미가입
10. 실수로 내 집에 불이나 옆 집에 옮겨 붙었는데 "벌금"까지 내야 하나요? 너무 억울합니다ㅜㅜ
11. 다중이용업소배상책임보험에 대해 설명해 주세요?
12. 새 가게를 준비중인 우리도 다중이용업소배상책임보험에 가입해야 하나요?
13. 재난배상책임보험에 대해 설명해 주세요?
14. '다중이용업소배상'과 '재난배상책임보험'은 어떤 차이가 있나요?
15. 장사를 하던 중 종업원이 다치는 경우도 화재보험에서 보상되나요?
16. 불이 나면 보상금은 얼마이고 책정은 어떻게 하나요?
17. 건물주가 화재보험을 가입했다고 하는데 세입자인 나는 보험을 들 필요가 없지 않나요?
18. 누군가가 과실로 내 가게에 불을 냈을 때 누구에게 보험금을 청구해야 하나요? [실화자 화재보험 가입]
19. 내 가게에 불이 나서 손님이 다치거나 재산상의 피해를 입혔을 때 그것도 보상이 되나요?
20. 불이 나서 복구하는 기간동안의 영업손실도 보상되나요?
21. 손님이 저희 음식을 드시고 식중독 같은게 걸려도 보상되나요?
22. 가게에 가스폭발로 인해 가게 앞 주차장에 있던 손님차가 파손될 경우도 보상되나요?
23. 특수건물 담보를 가입하면 신체손해배상특약이 자동적으로 가입된다는데 사실인가요?
24. 특수건물 담보를 가입하면 풍수재특약이 자동적으로 가입된다는데 사실인가요?
25. 주유소(자동세차기포함)를 화재보험 가입 하려는데 어떤 담보를 넣어야 하나요?
26. 화재보험료를 정확히 산출하려면 어떻게 해야 하나요?
27. 화재보험을 받는 절차에 대해서 알려주세요
28. 화재보험 사진은 언제/어떻게/어디를 찍어야 하나요?
29. 화재보험 인증서가 뭔가요?
30. 화재보험 가입설계서에 대해 설명해 주세요?

화재보험

고반물질30은 다모아미디어의 고유자산으로 무단 전제·복제 및 임의 사용시 저작권법 위반으로 5년이하의 징역 혹은 5천만원 이하의 벌금형이 부과됩니다.

목차 [질문 1~10번]

1. 화재보험 왜? 가입해야 하나요?

2. 화재시 보상해 주는 손해는 무엇인가요?

3. 소멸식 & 적금식 화재보험의 차이는?

4. 장기화재보험이 일반화재보험보다 비용처리에 있어 더 유리하다면서요?
   예를 들어 설명해 주세요?

5. 장사가 안되서 그만두면 내가 가입한 보험은 어떻게 되고 만기금은 100% 나오나요?

6. 만약 세들어 장사하는 우리가게가 불이나 건물에 불이 번지면 건물도 보상이 가능한가요?

7. "임차자 배상책임"과 "건물담보"는 어떻게 다른가요? 비교설명 해 주세요?

8. 우리가게에 불이나서 옆 가게로 옮겨 붙었을 때 내가 가입한 보험에서 보상이 가능한가요?

9. 반대로 옆의 가게에서 불이나 우리가게로 옮겨 붙으면 보상이 가능한가요?
   ※ 옆집 : 화재보험 미가입

10. 실수로 내 집에 불이나 옆 집에 옮겨 붙었는데 "벌금"까지 내야 하나요?
    너무 억울합니다ㅜㅜ

질문 01 화재보험 왜? 가입해야 하나요?

 미가입시 막대한 재산상 손해 : 내재산/대물배상/대인배상/벌금등

 발상의 전환 : 사람과 공기외[부동산]에는 대부분 화재보험의 대상

 건당보험료 고액 : 수수료 고액 [모집자 입장], 목돈마련 [계약자입장]

 배상책임보험 의무화 강화 : 다중이용업소[13년2월], 재난배상[17년7월]등

 블루오션 시장 : 화재보험 = 간병보험 = 치매보험 = 유병자보험등

 만기시 목적자금 마련 : 만기금으로 사업재투자 / 인테리어비용 / 임차료 인상 재원등

화재보험

질문 02 — 화재시 **보상해 주는 손해**는 무엇인가요?

화재(벼락)로 인한 손해

직접손해
보험에 가입한 물건의 **직접적인 화재**로 인한 **손해**

소방손해
화재진압과정에서 발생하는 손해로서 물에 의한 '**수침손해**', 연소확대작용으로 추가손해를 차단하기 위해 인접한 구조물이나 건물등을 파괴하는 '**파괴손해**'

피난손해
화재로 인하여 다른 장소로 옮긴 **피난지**에서 **5일동안** 발생한 손해 (직접손해와 소방손해)
※ 피난지에서 생긴 도난손해는 면책

화재로 인한 비용손해

잔존물제거비용
화재**손해액**의 **10%한도** 실손보상

손해방지비용
손해 방지 또는 **경감**에 소요된 필요 또는 유익한 비용으로 보험가입금액의 보험가액에 대한 비율에 따른 금액 (지급보험금+**손해방지비용**이 보험가입금액을 초과해도 지급)

대위권보전비용
대위권행사 및 보전을 위해 지출한 필요 또는 유익한 비용(보험가입금액을 초과해도 지급)
※ **대위권** : 보험사가 보험금을 지급하고 나면 보험사가 지급한 보험금 한도에서 계약자나 피보험자가 갖는 제3자에 대한 손해배상청구권을 가짐 (**잔존물대위/청구권대위**)

질문 03: 소멸식(일반) & 적금식(장기) 화재보험의 차이는?

구분	장기[적금식]화재보험	일반[소멸식]화재보험
보험기간	3년, 5년, 7년, 10년, 15년	1년, 일시납 [최대3년까지]
납입방법	월납, 3월납, 6월납, 년납, 일시납	일시납
환급	0~100% 환급	없음
자동복원	가능 (80%미만사고시 매번)	불가능
배상책임 종합가입	하나의 증권으로 가입 가능 [화재, 배상, 상해등]	불가능[특약별로 따로 가입]
대인배상가능여부	대인 / 대물배상 가능(대인은 무한대)	대물배상만 가능
비용처리	일부(보장보험료+적립보험료의 사업비)	보험료 전액
보상방법	비례보상 또는 실손보상	비례보상
대출여부	보통 해약환급금의 80% 한도로 약관대출	대출 불가능
주택물건자가누수보상여부	특약으로 자가누수 보상 가능	특약으로 자가누수 보상 가능

화재보험

고반물질30은 다모아미디어의 고유자산으로 무단 전제·복제 및 임의 사용시 저작권법 위반으로 5년이하의 징역 혹은 5천만원 이하의 벌금형이 부과됩니다.

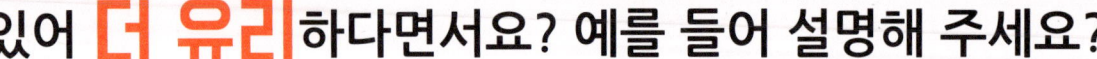

질문 04

장기화재보험이 일반화재보험보다 비용처리에 있어 더 유리하다면서요? 예를 들어 설명해 주세요?

[가입물건_예시] 건물가입금액 : 50억, 1급, 층별방화구역구분, 화재배상/시설소유자/주차장배상책임, 5년만기

구분	장기[적금식]화재보험	일반[소멸식]화재보험
연간보험료	24,000,000원 (월납200만 x 12회차)	년 3,018,000원
5년 총납입보험료	120,000,000원 (월납200만 x 60회차)	15,091,000원
손비처리효과(40%세율)	27,670,312원	6,036,400원
손비처리가능금액	69,175,779원 [보장p+(적립p*5%)]	15,091,000원
만기환급금	52,155,767원	0원
5년후 원금 순손익	+1,331,546원	-15,091,000원

[장기화재보험_예시] 납입p 월200만, 보장p 1,108,347원, 적립p 891,653원, 과세표준기준 40%, 적립p 사업비율 : 5%

년도	납입보험료	적립보험료 (누계액)	보장보험료 (누계액)	사업비 (적립p의 5%)	손비처리가능금액 (당해년도)	손비처리 예상효과
1차년도	24,000,000	10,699,836	13,300,164	534,992	13,835,156	5,534,062
2차년도	24,000,000	21,399,672	26,600,328	534,992	13,835,156	5,534,062
3차년도	24,000,000	32,099,508	39,900,492	534,992	13,835,156	5,534,062
4차년도	24,000,000	42,799,344	53,200,656	534,992	13,835,156	5,534,062
5차년도	24,000,000	53,499,180	66,500,820	534,992	13,835,156	5,534,062
합계	120,000,000			2,674,959	69,175,779	27,670,312

비용처리면에서도 일반화재보험보다 "장기화재보험이 더 유리"

질문 05: 장사가 안되서 **그만두면** 내가 **가입한 보험**은 어떻게 되고 **만기금**은 **100% 나오나요**?

다른 업종의 장사 / 당장 **해약하기 아까우면** 내가 사는 집으로 : '**배서**'를 통해 변경

만기나 중도해약시 : **환급금** 발생

화재보험은 보장성보험[보장부문+적립부문]으로 100% 환급은 안되지만
적립보험료를 높게, 납기를 길게하면 **환급률을 높일 수 있음**

담보금액/업종/건물급수에 따라 **환급율**이 **달라**지며 저금리 은행에 대비 **사고시 보상** 가능

화재시 발생될 각종 **위험**에 **대비**해야 하는 **필수 상품**이라 환급률에 중점을 두지 말 것

화재보험

질문 06 만약 세들어 장사하는 우리가게가 불이나 건물에 불이 번지면 건물도 보상이 가능한가요?

 예. 보상 가능합니다. [화재보험 가입시]

| 원칙적으로 건물은 "건물주"가 가입해야 합니다.

| 만약 세들어 장사를 하신다면 반드시 "임차자배상책임" 또는 "건물담보"를 가입해야 합니다.

불이나서 건물주에게 입힌 손해가 있다면 세입자는 건물주에게 "원상복구의무"가 있기 때문에 "임차자배상책임" 이나 "건물담보"로 피해액을 보상하면됨

질문 07 "임차자 배상책임"과 "건물담보"는 어떻게 다른가요? 비교설명 해 주세요?

임차자배상책임담보

계약 당사자의 '과실이 인정되는 경우'에 책임질 법률상 배상책임에 관련한 담보

건물화재담보

'과실여부에 관계없이' 해당 소재지 목적물에 발생한 화재를 담보하는 것으로 '임차자배상책임'보다 보상 범주가 넓은 담보

예를들어, 옆 집 화재가 전이되어 우리집에 화재가 발생했다면 임차자에게 과실을 물을 수 없으므로 '임차자배상책임'담보에서는 보상하지 아니하나, '건물'담보는 보상 가능합니다. [건물담보>임차자배상책임담보]

화재보험

질문 08: 우리가게에 불이나서 옆 가게로 옮겨 붙었을때 내가 가입한 보험에서 보상이 가능한가요?

네^^ 가능합니다.
'벌금담보', '대물배상책임담보'가 가입되어 있다면 보상

과거 2007년 8월 이전까지는 고의가 아닌 단순한 부주의로 인한 화재일 경우에는 "실화 책임에 관한 법률"에 따라 가해자는 피해자에게 보상해 줄 의무가 없었다. [민사소송 빈번]

※ '실화 책임에 관한 법률' : 경미한 과실임에도 화재사고 특성상 그 피해 규모가 커질 경우 불을 낸 사람의 책임이 너무 과중해 진다는 점을 고려해 고의나 중과실에 의한 실화에만 배상 책임을 지도록 한 법률이다.

그러나 이 법이 피해자의 손해배상 청구권을 너무 과도하게 제한한다는 이유로 2007년 8월, 헌법재판소에서 헌법불일치 판결을 받았다.

즉, 고의가 아닌 단순한 실수로 인한 화재도 배상책임을 지도록 바뀐 것이다.

이제는 사소한 실수에 의한 화재일지라도 무조건 벌금과 대물배상책임을 져야 한다.

결론 : 내집도 옆집도 모두, 화재보험을 가입해야 합니다.

질문 09: 반대로 옆의 가게에서 불이나 우리가게로 옮겨 붙으면 보상이 가능한가요? ※옆집 : 화재보험 미가입

보상이 전혀 안됩니다. [옆집으로부터 개인 보상받아야 함]

'옆집이 화재보험 미가입'으로 **옆집으로부터 개인보상** 또는 **민사소송**으로 내 재산 피해에 대한 보상을 받아야함

① **옆집 : 미가입, 우리집 : 가입**
   우리집에 가입한 보험회사에서 선지급 받고, 보험사가 옆 집에 구상권 청구

② **옆집 : 가입, 우리집 : 미가입**
   옆집 보험사에서 우리집 보상

③ **옆집 : 가입, 우리집 : 가입**
   옆집 보험사에서 우리집 보상

만약, 옆집이 화재보험에 가입이 되어 있지 않다면 모든 피해를 옆집에서 '자비'로 처리해야 함

결론 : 화재사고가 나면 너도나도 **막대한 피해(?)** 를 입게 됩니다.
반드시 **내집도 옆집도 무조건 화재보험**을 **가입**해야 합니다.

화재보험

질문 10: 실수로 내 집에 불이나 옆 집에 옮겨 붙었는데 "벌금"까지 내야 하나요? 너무 억울합니다ㅜㅜ

 네ㅜㅜ 억울해도 벌금과 배상책임까지 부담해야 합니다ㅜㅜ

'내재산피해+벌금+대물배상책임'등 정말 힘든 상황이 펼쳐집니다.

실화법 개정으로 인해 실수로 발생한 사고도 이웃집의 피해 까지 배상과 동시에 벌금까지 물어야함

※ 실화로 인한 벌금 : 형법 제170조, 171조에 의거
　1,500만원~2,000만원 이하의 벌금에 처해질 수 있다.

결론 : 화재사고가 나면 너도나도 막대한 피해(?)를 입게 됩니다.
반드시 내집도 옆집도 무조건 화재보험을 가입해야 합니다.

목차 [질문 11~20번]

11. 다중이용업소배상책임보험에 대해 설명해 주세요?

12. 새 가게를 준비 중인 우리도 다중이용업소배상책임보험에 가입해야 하나요?

13. 재난배상책임보험에 대해 설명해 주세요?

14. '다중이용업소배상'과 '재난배상책임보험'은 어떤 차이가 있나요?

15. 장사를 하던 중 종업원이 다치는 경우도 화재보험에서 보상되나요?

16. 불이 나면 보험금은 얼마이고 보험금 책정은 어떻게 하나요?

17. 건물주가 화재보험을 가입했다고 하는데 세입자인 나는 보험을 들 필요가 없지 않나요?

18. 누군가가 과실로 내 가게에 불을 냈을 때 누구에게 보험금을 청구해야 하나요?
    [실화자 화재보험 가입]

19. 내 가게에 불이 나서 손님이 다치거나 재산상의 피해를 입혔을 때 그것도 보상이 되나요?

20. 불이 나서 복구하는 기간동안의 영업손실도 보상되나요?

화재보험

고반물질30은 다모아미디어의 고유자산으로 무단 전제·복제 및 임의 사용시 저작권법 위반으로 5년이하의 징역 혹은 5천만원 이하의 벌금형이 부과됩니다.

질문 11: 다중이용업소배상책임보험에 대해 설명해주세요?

다배책 : 다중이용업소 화재시 타인의 신체 또는 재산피해를 업주가 배상해주는 의무보험

시행일/문의처/근거법령
2013년 2월 23일부터 / 관할 소방서 / 다중이용업소의 안전관리에 관한 특별법

의무가입대상 : 23개 업종
휴게음식점, 일반음식점, 제과점, 게임제공업, PC방, 목욕장업, 학원, 단란주점, 유흥주점, 비디오물감상실업, 비디오물소극장업, 실내스크린골프연습장, 안마시술소, 권총사격장, 노래연습장, 산후조리원, 고시원, 전화방, 화상대화방, 수면방, 콜라텍, 복합유통게임제공업 (※ 빨간색 업종은 1층은 의무가입에서 제외업종)

보험가입_일련번호 : MU-12자리 숫자
MU-00-0000-000000 [MU-업종(2자리)-영업허가년도(4자리)-일련번호(6자리)]

보상한도

구분	보상한도
대인배상	1인당 **1.5억원(부상 3천만원)**, 1사고당 **무한**
대물배상	1사고당 **10억원** 한도

※ 과실책임 -> 무과실책임으로 변경 (21년 7월 1일부터)

과태료

미가입기간	과태료
10일이하	10만원
10일초과~30일이하	10만원+11일째부터 1일당 1만원
30일초과~60일이하	30만원+31일째부터 1일당 3만원
60일초과~90일이하	120만원+61일째부터 1일당 6만원
90일초과	**300만원**

※ 비상구 폐쇄 잠금행위 : 1년이하의 징역 또는 1천만원이하의 벌금
※ 비상구 물건적치, 훼손, 변경 : 500만원이하의 과태료 부과

보험가입시 필요서류 [※ 업종에 따라 필요서류 상이]

① 다중이용업소화재배상책임보험 : 일련번호 (MU-00-0000-000000) ② 사업자등록증(업종,상호,사업자번호) ③ 대표성함, 주민번호 앞자리, 국적, 연락처 ④ 면적확인 가능한 건축물대장 ⑤ 특수건물 여부 (※특수건물은 가입제외) ⑥ 메일주소 또는 팩스번호 ⑦ 업종에 따라 필요서류 상이 : 매출액/사업자등록증/최근1년부가세납입증명서/재고자산액등

질문 12: 새 가게를 준비중인 우리도 다중이용업소 배상책임보험에 가입해야 하나요?

① 소방방재청에서 화재 배상책임 가입안내문을 받으셨나요?
② 관할소방서에 전화하면 의무가입대상인지 확인 가능합니다.

다중이용업소의 화재배상책임보험 가입안내문(앞면)

다중이용업소 일련번호	MU-31-2XXX-XXXXXX	상호	XXX단란주점
업주성명 (법인명)	홍길동	업종	단란주점

화재배상책임보험 가입시 상기표의 '다중이용업소 일련번호' 14자리를 반드시 보험회사에 알려야 합니다

화재보험

우리 가게가 화재보험을 가입해야 하는 곳이면 **관할 소방서**에서 '**다중이용업소 화재배상책임 가입안내문**'을 **의무적**으로 '**우편**'이나 '**전화**'로 **가입을 안내**합니다.
그러면 **안내문**에 있는 '**다중이용업소 일련번호[일명 MU번호]**'를 보험회사에 **정확히 통지**해야 **정확한 보험료**가 **산출**됩니다. [※ 만약 모를시 **MU번호**는 **관할소방서로 전화**해서 물어보면 됩니다.]

고반물질30은 다모아미디어의 고유자산으로 무단 전제·복제 및 임의 사용시 저작권법 위반으로 5년이하의 징역 혹은 5천만원 이하의 벌금형이 부과됩니다.

질문 13: 재난배상책임보험에 대해 설명해 주세요?

재배책 : 재난취약시설의 **화재, 폭발, 붕괴**로 인한 **타인의 신체** 또는 **재산피해를 업주가 배상**해주는 의무보험

시행일/문의처/근거법령 : 2017년7월7일부터 / 관할 시,군,구청 / 재난 및 안전관리 기본법

의무가입대상 : 20개 업종
1층 음식점(100㎡),숙박시설(호텔,콘도,모텔등),장례식장,**주유소**,박물관,미술관,과학관,도서관,국제회의실,전시시설,경정장,경륜장, 경마장,장외매장,장외발매소,물류창고,지하상가,여객자동차터미널,**15층이하 아파트** (※특수건물, 다중이용업소는 의무가입 제외), 농어촌민박시설(20년12월10일 추가)

보험가입_일련번호 : S 또는 C + 10자리 숫자
S코드 (아파트,도서관,장례식장,터미널,경마장,경륜/경정장,과학관,지하상가등)
C코드 (주유소,음식점,숙박업,물류창고,박물관,국제회의시설,미술관,전시시설등)

보상한도

구분	보상한도
대인배상	1인당 **1.5억원(부상 3천만원)**, 1사고당 **무한**
대물배상	1사고당 **10억원** 한도

과태료

미가입기간	과태료
10일이하	10만원
10일초과~30일이하	10만원+11일째부터 1일당 1만원
30일초과~60일이하	30만원+31일째부터 1일당 3만원
60일초과~90일이하	120만원+61일째부터 1일당 6만원
90일초과	**300만원**

※ 비상구 폐쇄 잠금행위 : 1년이하의 징역 또는 1천만원이하의 벌금
※ 비상구 물건적치, 훼손, 변경 : 500만원이하의 과태료 부과

보험가입시 필요서류 [※ 업종에 따라 필요서류 상이]

① 재난배상책임보험 일련번호 (S 또는 C + 10자리 숫자) ② 사업자등록증(업종,상호,사업자번호) ③ 대표성함,주민번호앞자리,국적,연락처
④ 면적확인 가능한 건축물대장 ⑤ 특수건물 여부 (※특수건물은 가입제외) ⑥ 메일주소 또는 팩스번호 ⑦ 업종에 따라 필요서류 상이
  예) 주유소 : 년매출액/사업자등록증/주유기/캐노피/최근1년부가세납입증명서/유류재고액등

고반물질30은 다모아미디어의 고유자산으로 무단 전제·복제 및 임의 사용시 저작권법 위반으로 5년이하의 징역 혹은 5천만원 이하의 벌금형이 부과됩니다.

질문 14: '다중이용업소배상'과 '재난배상책임보험'은 어떤 차이가 있나요?

다중이용업소배상책임보험	구분	재난배상책임보험
23개업종: 휴게음식점, 일반음식점, 제과점, 게임제공업, PC방, 목욕장업, 학원, 단란주점, 유흥주점, 비디오물감상실업, 비디오물소극장업, 실내스크린골프연습장, 안마시술소, 권총사격장, 노래연습장, 산후조리원, 고시원, 전화방, 화상대화방, 수면방, 콜라텍, 복합유통, 게임제공업 (※빨간색업종은 1층은 의무가입 제외 업종)	의무가입 대상업종	**20개업종**: 1층 음식점(100㎡ 이상), 숙박시설(호텔, 콘도, 모텔등), 장례식장, 주유소, 박물관, 미술관, 과학관, 도서관, 국제회의실, 전시시설, 경정장, 경륜장, 경마장, 장외매장, 장외발매소, 물류창고, 지하상가, 여객자동차터미널, 15층이하 아파트, 농어촌민박시설 (※특수건물, 다중이용업소는 의무가입 제외)
2013년 2월 23일부터	시행일	**2017년 7월 7일부터**
MU-00-0000-000000 [MU+업종+연도+일련번호]	보험관련 고유번호	S 또는 C + 10자리 숫자
관할 소방서	보험가입 문의처	관할 시, 군, 구청
☐ 대인 : 1인당 1억5천만원(부상3천만원), 1사고당 무한 ☐ 대물 : 1사고당 10억원 한도	보상한도	☐ 대인 : 1인당 1억5천만원(부상 3천만원), 1사고당 무한 ☐ 대물 : 1사고당 10억원 한도
다중이용업소의 안전관리에 관한 특별법 (2013년)	근거법령	재난 및 안전관리기본법 (2017년)
무과실책임	책임여부	**무과실책임**
화재, 폭발	담보위험	화재, 폭발, **붕괴**
미가입기간 / 과태료 10일이하 / 10만원 10일초과~30일이하 / 10만원+11일째부터 1일당 1만원 30일초과~60일이하 / 30만원+31일째부터 1일당 3만원 60일초과~90일이하 / 120만원+61일째부터 1일당 6만원 **90일초과 / 300만원**	미가입과태료	미가입기간 / 과태료 10일이하 / 10만원 10일초과~30일이하 / 10만원+11일째부터 1일당 1만원 30일초과~60일이하 / 30만원+31일째부터 1일당 3만원 60일초과~90일이하 / 120만원+61일째부터 1일당 6만원 **90일초과 / 300만원**

※ 비상구 폐쇄·잠금행위 : 1년이하의 징역 또는 1000만원이하의 벌금 / 비상구 물건적치, 훼손, 변경 : 500만원이하의 과태료가 부과 [2019년부터~]

화재보험

질문 15 장사를 하던 중 **종업원이 다치는 경우**도 **화재보험에서 보상**되나요?

아니오. 대부분 화재보험에서 **종업원**이 **상해**를 입는 경우 **보상되지 않습니다.**
별도로 **상해[단체]보험 담보[사망/후유장해/부상/치료비등]를 가입**하셔야 합니다.

| 일부 잘 알지 못하는 설계사들이 '**시설소유자배상책임**'에서 **종업원**도
보상이 된다고 설명하는데 잘못된 설명입니다. **종업원은 면책**입니다.

| 만약, **종업원**에게 발생할 여러가지 **문제들을 해결**하기 위해서는
별도로 **종업원 상해[단체]보험**이나 **산재보험**으로 **처리**
하셔야 합니다.

| **종업원 상해(단체)보험가입시 긍정적 영향**
　　　① 고용주로써의 보상책임 발생　　② 개별 보험가입에 대한 부담
　　　③ 이직에 따른 피보험자 대체　　④ 종업원 복지향상/직업의식함양
　　　⑤ 안정적인 사업운영가능

질문 16 불이 나면 **보험금은 얼마**이고 **보험금 책정**은 어떻게 하나요?

 보험사고시 보험사의 전담 **손해사정팀**이 손해사정후 정확한 **보험금**을 책정 후 보험금 지급

| **보험금**은 보험가입한도 **내**에서 지급

| **실손보상**에 의거해서 **실손**부분을 지급

화재보험

만약, **일부보험** [보험가입금액<보험가액]이면 '비례보상'
보험금 = 손해액 X 보험가입금액 / [보험가액X80%]

고반물질30은 **다모아미디어**의 고유자산으로 무단 전제·복제 및 임의 사용시 저작권법 위반으로 **5년이하**의 징역 혹은 **5천만원** 이하의 벌금형이 부과됩니다.

질문 17: 건물주가 화재보험을 가입했다고 하는데 세입자인 나는 보험을 들 필요가 없지 않나요?

 **아닙니다. 세입자도 반드시 가입하셔야 합니다.**

| 왜냐하면 **건물주**는 건물만 **가입**하기 때문에 내가 투자한 **내 사업체**에 대한 **재산**은 **내가 따로 가입**하셔야 합니다.

| **세입자**는 만약 화재사고시 '**원상복구의무**', '**벌금**', '**대물배상책임**' 등 여러 리스크를 화재보험으로 회피하셔야 합니다.

결론 : 내 재산은 내가 보호해야 합니다.

질문 18 누군가가 과실로 내 가게에 불을 냈을 때 누구에게 보험금을 청구해야 하나요? [실화자 화재보험 가입]

과실로 화재 : **실화죄** / 고의로 화재 : **방화죄**에 해당
※ 화재보험에서 **고의 및 방화**는 **면책**사항

| **실화죄**에 해당 되고 **1,500만원**이하 **벌금**과 **5년이하 징역**

| **실화죄**로 인해 **다른 사람의 생명** 또는 **재산상의 피해**를 입힐 경우 **형사처벌**과 별도로 **손해배상 책임**이 발생

화재보험에서 고의 및 방화는 면책사항이지만 '화재원인에 대한 입증책임'은 보험회사가 입증해야 하기 때문에 만약 고의나 방화라고 입증하지 못하면 보험회사는 '보험금을 지급'해야 함

화재보험

질문 19: 내 가게에 불이 나서 손님이 다치거나 재산상의 피해를 입혔을 때 그것도 보상이 되나요?

예. "시설소유자배상책임특약"을 가입하면 가능합니다.

시설소유자배상책임 : 내가 소유, 사용, 관리하고 있는 시설에서 제3자의 신체나 재산상의 피해를 배상

보상하는 손해

▫ 시설자체의 구조와 관리상의 결함
- 상점이나 빌딩의 간판이 떨어져 통행인 또는 손님에게 부상을 입힌 경우
- 건물이나 공장의 보일러가 폭발하여 인근의 주택(또는 건물)이나 차량이 파손되고 주민들에게 부상을 입힌 경우
- 유원지의 놀이기구가 궤도를 이탈하여 이용객들이 부상당한 경우
- 주차장에 화재가 발생하여 주차된 차량이 소실된 경우

▫ 업무수행상의 과실
- 특정된 시설(백화점, 호텔, 빌딩, 공장 등)의 내외에서 그 시설의 용도에 수반하는 업무수행중의 과실을 한 경우

▫ 업무수행중의 과실에 기인하는 사고
- 음식점의 종업원이 과실로 음식물을 엎질러 손님의 의복을 오손시킨 경우
- 중화요리점에서 자전거로 가정집에 음식을 배달하다가 잘못하여 행인에게 부상을 입힌 경우

보험가입금액
A형 : 1인당 1천만원, 1사고당(대인+대물) 1억한도
B형 : 1인당 3천만원, 1사고당(대인+대물) 3억한도
C형 : 1인당 5천만원, 1사고당(대인+대물) 5억한도
D형 : 1인당 1억원, 1사고당(대인+대물) 10억한도

※ 공제금액 : 있음 [보험사마다 차이가 있음]

보험료 산출기초

▫ 여관, 호텔, 고시원 : 객실수 ▫ 당구장, PC방 : 대당 ▫ 사설강습소 : 학생당 ▫ 예식장 : 객석당
▫ 골프장 : 매출액 ▫ 일반골프연습장 : 면적(㎡) ▫ 그 외 업종 : 면적(㎡)

질문 20: 불이 나서 복구하는 기간동안의 영업손실도 보상되나요?

예. "점포휴업손해특약" [=휴업 또는 영업이 저해됨으로 인한 '휴업손실 보험금']에서 보상
※ 단, 제한하는 업종과 인수를 하지 않는 보험사가 있으니 확인 후 가입

복구기간의 정의

1. **약정복구기간** : 계약당시 보험증권에 기재된 약정복구기간
2. **추정복구기간** : 보험의 목적을 손해발생 직전의 상태로 복구하기 위하여 통상적으로 필요하다고 인정되는 기간
3. **복구기간** : 보험금 지급대상이 되는 기간으로, 보험의 목적이 손해를 입은 때로부터 지체없이 이를 복구한 때까지 필요한 기간 또는 법령의 규제 등 부득이한 사유로 인하여 보험의 목적을 복구하지 아니할 경우에는 추정 복구기간을 복구기간으로 인정하며 어떠한 경우라도 복구기간은 추정복구기간이나 약정복구기간을 초과할 수 없음

휴업손실보험금

휴업손실 보험금 = 보험가입금액 × 휴업일수 비율

※ 복구기간내의 매출감소액에 지급한도율을 곱한 금액에서 복구기간내에 지출하지 않은 경상비등의 비용을 뺀 잔액으로 계산
※ 지급한도율 = 최근 회계년도(1년간)의 총이익 × 1.1 / 최근 회계연도(1년간)의 매출액
※ 경상비 : 사고의 유무에 관계없이 영업을 계속하기 위하여 지출하는 비용
※ 매출감소액 : 사고직전 12개월 중 복구기간에 해당하는 기간의 매출액에서 복구기간내의 매출액을 뺀 잔액
※ 휴업일수 비율 = 복구기간내의 휴업일수 / 약정복구기간내의 영업가능 일수 (공휴일을 제외)

보상하는 손해

1. 화재 2. 벼락 3. 파열 또는 폭발 4. 항공기의 추락 또는 접촉이나 항공기로부터의 물체의 떨어짐 5. 차량과의 충돌 또는 접촉

보상하지 않는 손해

1. 계약자 또는 피보험자가 소유 또는 운전하는 차량과의 충돌이나 접촉
2. 소요 또는 노동쟁의로 인한 휴업손해
3. 차량의 운행으로 생긴 작은 돌, 더러운 물이 날아 흩어짐으로 인한 손해

목차 [질문 21~30번]

21. 손님이 저희 음식을 드시고 식중독 같은게 걸려도 보상 되나요?

22. 가게에 가스폭발로 인해 가게 앞 주차장에 있던 손님차가 파손될 경우도 보상되나요?

23. 특수건물 담보를 가입하면 신체손해배상특약이 자동적으로 가입된다는데 사실인가요?

24. 특수건물 담보를 가입하면 풍수재특약이 자동적으로 가입된다는데 사실인가요?

25. 주유소(자동세차기포함)를 화재보험 가입 하려는데 어떤 담보를 넣어야 하나요?

26. 화재보험료를 정확히 산출하려면 어떻게 해야 하나요?

27. 화재보험을 받는 절차에 대해서 알려주세요

28. 화재보험 사진은 언제/어떻게/어디를 찍어야 하나요?

29. 화재보험 인증서가 뭔가요?

30. 화재보험 가입설계서에 대해 설명해 주세요?

질문 21 손님이 저희 음식을 드시고 **식중독** 같은게 걸려도 **보상**되나요?

음식물배상책임

장기보험 [보험기간:3년~15년]
- 매월 납입, 보험료 인상 안됨
- 대인 1천만 / 1사고당 1억 한도
- **자기부담금 : 5만원/10만원**
- **구내외**보상 : 구내보상 원칙

생산물배상책임

일반보험 [보험기간:1년 소멸성]
- 보험료 저렴, 보험료 인상 가능
- 업종마다 한도가 다름
- **자기부담금 : 30만원/50만원**
- **구내외**보상

화재보험

음식물배상책임

- 손님이 음식을 먹던 중 이물질로 인한 **"치아파절"**
- 음식관리 부주의로 인한 **"식중독"**
- 배달음식을 먹던 중 **"장염"**에 걸린 경우
- 주스를 마시다 **"목에 이물질"**이 걸린 경우
- **"노로바이러스"**, **"대장균으로 인한 피해"** 등등

※ 주의 : 보험사마다 '음식물배상책임보험'에서 "구내" 또는 "구외포함"인지 반드시 확인바람

질문 22: 가게에 **가스폭발로** 인해 가게 앞 주차장에 있던 **손님차**가 **파손**될 경우도 **보상**되나요?

예. "가스배상책임특약 [의무보험]"을 가입하면 됩니다.

가스사고배상책임보험이란?
- 가스사업자(도시가스 공급자, 제조/충전사업자, 가스용기제조업자 등)나 가스사용자가 가스폭발, 파열, 화재 및 누출, 질식사고 등의 우연한 사고로 인하여 제3자의 신체, 재물을 손상케 한 경우 보상하는 의무보험

가입대상
- **가스사용자** : 일반도시가스사업자 / 도매도시가스사업자 / 도시가스사용자 등
- **용기등 제조업자** : 용기 제조자 / 냉동기 제조자 / 특정설비제조자
- **가스사업자** : 일반도시가스/도시가스 도매사업자/ 도시가스시설 시공자/액화석유가스 제조,충전 사업자 /액화석유가스 집단공급자/판매업자/고압가스 특정제조자/고압가스 일반제조자/냉동제조자(냉방시설관련)
- **가스시설시공업자** : 도시가스를 원료로 사용하는 온수보일러와 그 부대시설 의 설치 & 변경공사를 하는 자

보상한도 [도시가스사용자]
- 대인배상 : 1인당 사망 : 8천만원 / 부상 : 1.5천만원(1급)~20만원(14급) / 후유장해 : 8천만원(1급)~240만원(14급)
  ※액화석유가스[LPG] : 8천만원(1급)~500만원(14급)
- 대물배상 : 1사고당 보험가입금액 한도 [가입 대상자별로 상이]

미가입시 벌칙
- 도시가스 : 3천만원 이하의 과태료
- 액화석유가스 : 3백만원이하의 과태료
- 고압가스 : 등록 취소 혹은 6개월 이내 기간을 정하여 사업 또는 저장소의 사용정지나 제한

가입시 필요서류
① 사업자 등록증 ② 매출서류 (직전년도 손익계산서 또는 부가가치세과세증명) ③ 질문서 (당사 양식)
④ 사용/판매가스종류, 제조용기종류, 사용면적, 사용형태, 위치 등 산출자료

질문 23: **특수건물 담보**를 가입하면 **신체손해배상특약**이 자동적으로 가입된다는데 사실인가요?

예. 특수건물 화재보험법에 의거 신배책이 자동가입 됩니다.

| **신체손해배상책임이란?** | 특수건물에서 화재사고가 발생시 사람 또는 대물에 발생한 손해에 대해 특수건물 소유자의 무과실책임으로 배상해주는 책임보험 |

보상한도
- 대인배상 : 1인당 사망 : 1.5억원 / 부상 : 3천만원(1급)~50만원(14급) / 후유장해 : 1.5억원(1급)~1천만원(14급)
  1사고당 10억원
- 대물배상 : 별도로 가입해야 함

사고 예시
2023년 12월 15일 A소유의 15층 건물에서 '원인미상의 화재사고'가 발생하여 방문객 B씨가 부상을 입고 긴급이송되었으나 입원 치료 중 사망한 사고로 건물주 A씨가 무과실이어도 배상의무가 있음? 보험금은?

> 생년월일 : 70년 1월 1일 / 입원치료비용 (300만원) / 상해급수 1급 (3천만원) / 사고발생시 A가 지출한 긴급조치비용 (200만원)
> 일실수입(익) 현가기준(500만원) / 남자 평균임금 (일당10만원)

보험금 산출 (신배책특약의 보험금)

구분	보험금	실손해액 산정
부상보험금	3,000,000	3천만원(1급)~ 최소50만원(14급)
사망보험금	20,000,000	사망보험금 : 500만원(현가기준 일실수입)+ 장례비(남자평균임금 100일분＊10만) : 1천만원 합산 1,500만원이나 사망보험금은 최저보험금이 2천만원
긴급조치비용	2,000,000	긴급지출비용은 약관상 손해방지경감비용에 해당하므로 한도 상관없이 전액 보상
합계보험금	25,000,000	

화재보험

질문 24 특수건물 담보를 가입하면 풍수재특약이 자동적으로 가입된다는데 사실인가요?

 **아닙니다.**
특수건물 가입시 '풍수재 특약'이 아니라 '신체손해배상책임특약'이 자동담보됨

| **특수건물**은 화재보험을 **강제로 가입**해야 하는 물건이구요.

특수건물에서 "풍수재특약"은 **자동가입이 아닙니다**. [**추가보험료 부담**]
※ 풍수재 : 태풍, 회오리, 폭풍우, 홍수, 해일, 범람, 항공기및 낙하물로 인한 손해
※ 단, 눈, 우박으로 인한 손해는 면책

특수건물

① 지하층제외 11층이상 건물 ② 연면적 1,000㎡ 이상인 국유건물
③ 바닥면적합계 2,000㎡ 이상인 학원, 음식점, 유흥주점
④ 바닥면적합계 3,000㎡ 이상인 숙박업, 대규모점포
⑤ 연면적합계 3,000㎡ 이상인 병원, 관광숙박업, 공연장, 방송국, 농수산도매시장, 학교, 공장
⑥ 16층이상의 아파트 및 부속건물 (동일한아파트 15층이하도 포함)

고반물질30은 다모아미디어의 고유자산으로 무단 전제·복제 및 임의 사용시 저작권법 위반으로 5년이하의 징역 혹은 5천만원 이하의 벌금형이 부과됩니다.

질문 25: 주유소(자동세차기포함)를 화재보험 가입하려는데 어떤 담보를 넣어야 하나요?

 **화재보험 VS 재난배상책임보험[의무가입] : 적절한 조합 필수**

주요위험
혼유, 혼수 사고 및 화재, 낙뢰, 세차기 사고등

보상한도액 [의무가입 한도금액]
- 제3자 **인명**피해는 **1인당 1억5천만원 까지** [1사고당 무한]
- 제3자 **재산**피해는 **1사고당 10억원 까지** 보장
  - ※ 원인불명 **화재, 폭발, 붕괴**손해도 보장
  - ※ **혼유사고** [**주유소배상책임**_자부담]
  - ※ **자동세차기사고** [**시설소유자배상책임**-자부담] [※보험사별 인수조건 차등]

주유소 : 재난배상책임보험에 '의무가입'
미가입시 : 과태료 최고 **300만원** / 17년7월7일부터

구비서류 및 기준?
- 년매출 400억까지 인수 - 사업자등록증 - 주유기/저장탱크
- 캐노피 : 건물 [급수 신중 적용] - 최근 1년 부가세납입증명서
- 유류 : 재고자산

화재보험

고반물질30은 다모아미디어의 고유자산으로 무단 전제·복제 및 임의 사용시 저작권법 위반으로 5년이하의 징역 혹은 5천만원 이하의 벌금형이 부과됩니다.

질문 26: 화재보험료를 정확히 산출하려면 어떻게 해야 하나요?

화재보험료 산출시 3대 필수조건 ① 소재지 파악 [건물급수] ② 가입금액 산정 ③ 가입업종 파악

① 소재지 파악 [건물급수]

- **건축물대장** 발급 : 소재지 건물개수, 건물의 구조/면적, 건축물 허가내용과 위반건축물 여부 파악
- 목적물 **현장 방문** : 현장방문 없이 기초서류만 가지고 계약체결시 문제 발생 가능

② 가입금액 산정 : '건물신축단가표'를 기준으로 설계해야 함 : 매년 5~7%씩 인상중 [※재조달가액/보험가입금액/보험가액]

- 화재보험 가입시 '재조달가액'(※동일한 건물을 새롭게 건축하거나 만들 경우 발생하는 금액)산출시 보험설계사분들의 '건물가액' 을 임의대로 (보통 평당 200~500만원???) 계산하면 오류가 생길 수 있으니 반드시 '건물신축단가표'를 기준으로 설계해야 일부보험을 피할 수 있음

건물신축단가표 [매년변경]

(단위 : 3.3㎡, 평당)

구분	다가구주택	아파트	연립주택	다세대주택	다중주택[1]	오피스텔	근린생활시설	창고	공장
2023년	6,352,000원	5,992,000원	7,137,000원	6,272,000원	6,471,000원	6,175,000원	5,998,000원	2,719,000원	3,364,000원

[출처:한국부동산원,24년2월]

1)다중주택 : 취사시설이 설치안된 주택으로 입주자가 단독으로 사용할 수 있는 것은 방 하나뿐인 구조로 거실과 부엌 및 화장실은 공동으로 사용하는 형태의 주택으로, 연면적 330㎡ 이하이고 3층이하인 주택 [※ 건축법상 '단독주택'에 해당]

③ 가입업종 파악

- **방화구획**이 **있는** 경우 : 층별로 가장 위험율이 높은 업종을 기준으로 보험료를 산출 [유리_보험료 쌈]
- **방화구획**이 **없는** 경우 : 전(全)층에서 위험율이 가장 높은 업종을 전체층에 적용하여 보험료를 산출 [불리_보험료비쌈]

고반물질30은 다모아미디어의 고유자산으로 무단 전제·복제 및 임의 사용시 저작권법 위반으로 5년이하의 징역 혹은 5천만원 이하의 벌금형이 부과됩니다.

질문 27: 화재보험을 받는 절차에 대해서 알려주세요?

고객접근 [통화]
① 통화하면서 산출의뢰서 작성 [업종, 임차(자가), 평수, 가입금액, 특약등]
② 현장방문 약속 [고객 편한 시간 약속]
③ 보험료 및 납입기간등 미리 협의 [1차방문시 가입설계용]
④ 건축물관리대장 [열람 후 출력 : 건물급수 파악]
⑤ 입주 현황파악 및 내·외부 사진촬영
   [정확한 요율산출 위한 건물급수 및 입주현황 파악]

고객방문 [1차방문]
① 고객 면담 [문의사항 해결]
② 가입할 내용 세부 협의 [산출의뢰서 보완]
③ 화재보험 의무가입 항목, 유의할 사항, 궁금한 점 청취
   [화재보험 입증책임, 의무담보, 다중법, 재배책등]

자필서명 [2차방문]
① 가입할 내용 재 확인
② 청약서 자필서명 [피보험자 자필]
③ 가입인증서 및 소화기 필요여부 파악

최종방문 [3차방문]
① 가입인증서 [액자] 및 소화기 [판촉물] 전달
② 보험증권 [직접방문 또는 우편] 전달
③ THANK YOU CALL

화재보험

고반물질30은 다모아미디어의 고유자산으로 무단 전제·복제 및 임의 사용시 저작권법 위반으로 5년이하의 징역 혹은 5천만원 이하의 벌금형이 부과됩니다.

질문 28: 화재보험 '사진'은 언제/어떻게/어디를 찍어야 하나요?

정확한 기준이 있는 것은 아닙니다만 **화재사고시 중요한 단서**가 될 수 있으므로 **가급적 꼼꼼히 찍어서** 가입시 스캔떠서 **청약서와 함께 보험사 전산**에 **등록** 해 두시는 것이 좋습니다.

일반[건물 밖 사진]

① 건물전체 사진
   [건물급수/공지할인등]

② 영업장간판
   [건물포함]

③ 건물 또는 EV
   [입주업체/업종 파악]

+

일반[건물 내 사진]

① 소방시설
   [소화전/소화기등]

② 천장/칸막이/룸안
   [스프링쿨러등]

③ 인테리어
   [방,룸,현관등]

공장[기타/창고]

① 공장내외 건물,부속 건물, 재고자산등 전부 촬영
   [건물급수/업종/재고]

② 공장내 작업도 촬영
   [물건 제조 공정등]

※ 필요시 '세부작업 공정도'를 요청할 수 있음

질문 29 — 화재보험 인증서가 뭔가요?

認 證 書

[증권번호] : D2018-123456
[보험기간] : 2018.01.01~2028.01.01
[가입업체] : 도레미노래연습장
[대표성명] : 너훈아

[담보내용]
건물	[1억원]
집기시설	[2억원]
집기비품	[5천만원]
시설소유자배상책임	[가입]
가스사고배상책임	[가입]
음식물배상책임	[가입]
벌금	2천만원
대물배상	[1인당 1억원, 1사고당 5억원]

위 업소는 **화재보험**을 가입한 업체로서 약관에서 정한 사고로 인한 손해를 당사가 보상하여 드립니다.

다모아화재해상보험
대표이사 사장 홍 길 동

화재보험 3종세트

보험증권 외에는 반드시 지급해야 하는 의무 사항은 아니나 '화재보험 3종세트'를 감사의 선물로 드려보자!!!
고객 분들이 어떤 선물보다 좋아하시고 소개까지 해줍니다.

① 화재보험 **증권**
② 화재보험 **인증서** [고급액자]
  ※각 손해보험사마다 모두 발급가능
③ **소화기** [시중 2만원 내외]

화재보험

질문 30: 화재보험 가입설계서에 대해 **설명**해 주세요?

화재보험 산출의뢰서

신청일자 :   년   월   일
※1일정도 여유를 두고 신청바랍니다

취급자사항
| 취급자명 | | 취급자연락처 | |

기본사항
성명/상호		보험기간	□유 □무
주민등록번호		전가입사	
연락처		이메일	
주소			

물건분석
| 물건구분 | □단독주택 □연립주택 □아파트 □일반상가/시장 □공장물건 |
| 물건주소 | |

보험가입금액
건물 : 본건물, 간판등		임차자배상 / 견물 : 임차가가 가입	
가재도구 : 가정생활 물품일체		시설소유자 : 시설물 사용중	
집기시설 : 벽, 천정등의 인테리어		가스사고배상 : 가스사고	
집기비품 : 책상, 소파, PC,냉장고, 에어컨등		음식물배상 : 식중독,밥먹다 돌씹어 치아파절등	
동산 : 상품 및 원(부)재료		지진특약 : 지진으로 인한 화재 및 지진손해	
기계장치 : 미싱, 선반, 기계장치일체		풍수재특약 : 태풍,회오리,폭풍우,호우,해일손해	

영위직종(층별 직종 반드시 기재)
지상 층		지상 층	
지상 층		지하 층	
지상 층		지하 층	

결제사항
희망보험료		초회보험료	□즉시이체 □직납 □카드납부
카드	□카드사: □카드NO: - - -	유효기간: 년 월
자동이체	□은행명: □계좌번호:	□이체일 : 5, 10, 15, 20, 25일, 기타( )

메모

화재보험 가입시 기본적으로 알아야 할 사항

▫ 기본사항
- 사업주명 : 홍길동
- 주민등록번호 : 67****-1******
- 평수 : 100평
- 업종 : 도레미 노래연습장 (2층)
- 물건주소 : 서울 성동구 ooo로 17, 우진빌딩 2층

▫ 건물내 영위직종 [예시]
- 방화문과 방화벽 없음
- 지하 1층 : 주차장, 지상1층 : 약국, 2층 : 노래연습장
  3층 : 치과, 4층 : 사무실, 5층 : 건물주 주택

▫ 담보사항 [예시]
- 건물 : 1억, 집기시설 : 2억, 집기비품 : 5천만원
- 특약 : 시설소유자, 가스사고, 음식물배상, 도난특약등
- 벌금[2천만], 대물배상 [최고 한도로 가입]

▫ 고객요구사항 [예시]
- 보험료 : 환급률 높은 쪽으로 산출요망
- 보험기간 : 5년에서 10년납 두가지 산출 요망

고객이 반드시 물어보는 질문 30가지

손해보험 | **내 책임 필수보험**

일상생활중 자주 일어나는 제3자의 신체나 재산상의 피해를 보상할 일 많으셨죠?
"**배상책임보험**"이 모두 해결해 드립니다.

배상책임보험

배상책임

고반물질30은 **다모아미디어**의 고유자산으로 무단 전제·복제 및 임의 사용시 저작권법 위반으로 5년이하의 징역 혹은 5천만원 이하의 벌금형이 부과됩니다.

목차

1. 배상책임보험이 무엇이고, 왜?가입해야 하나요?
2. 배상과 보상의 차이는?
3. 배상책임보험의 보험금 지급 사례는?
4. 배상책임보험의 종류는 어떻게 구분하나요?
5. 시설소유(관리)자배상책임[자영업전업종]이 뭔가요?
6. 음식물배상책임이 뭔가요?
7. 가스사고배상책임[의무]이 뭔가요?
8. 사용자배상책임[=근재보험]이 뭔가요?
9. 임차자배상책임이 뭔가요?
10. 체육시설업자배상책임[의무]이 뭔가요?
11. 제조물(생산물)배상책임이 뭔가요?
12. 건설기계업자배상책임이 뭔가요?
13. 창고업자배상책임이 뭔가요?
14. 학교(학원)경영자배상책임[의무]이 뭔가요?
15. 적재물배상책임보험[의무]이 뭔가요?
16. 어린이놀이시설배상책임[의무]이 뭔가요?
17. 약국(약사)배상책임이 뭔가요?
18. 수련시설배상책임[의무]이 뭔가요?
19. 승강기사고배상책임보험[의무]이 뭔가요?
20. 주차장배상책임이 뭔가요?
21. 신체손해배상책임이 뭔가요?
22. 개인정보보호배상책임[의무]이 뭔가요?
23. 전문인배상책임이 뭔가요?
24. 이·미용배상책임이 뭔가요?
25. 보관자배상책임이 뭔가요?
26. 차량정비업자배상책임이 뭔가요?
27. 산후조리원배상책임[의무]이 뭔가요?
28. 옥외광고사업자손해배상책임[의무]이 뭔가요?
29. 맹견사고배상책임[의무]이 뭔가요?
30. 일상생활/가족생활/자녀배상책임이 뭔가요?

고반물질30은 다모아미디어의 고유자산으로 무단 전제·복제 및 임의 사용시 저작권법 위반으로 5년이하의 징역 혹은 5천만원 이하의 벌금형이 부과됩니다.

목차 [질문 1~10번]

1. 배상책임보험이 무엇이고, 왜?가입해야 하나요?

2. 배상과 보상의 차이는?

3. 배상책임보험의 보험금 지급 사례는?

4. 배상책임보험의 종류는 어떻게 구분하나요?

5. 시설소유(관리)자배상책임[자영업전업종]이 뭔가요?

6. 음식물배상책임이 뭔가요?

7. 가스사고배상책임[의무]이 뭔가요?

8. 사용자배상책임[=근재보험]이 뭔가요?

9. 임차자배상책임이 뭔가요?

10. 체육시설업자배상책임[의무]이 뭔가요?

질문 01: 배상책임보험이 무엇이고, 왜? 가입해야 하나요?

□ **배상책임** : 보험사고로 **제3자(타인)**에게 **신체나 재산상의 피해**를 준 손해를 배상

개인
일상생활

기업
영업활동

↓ 사고발생

제3자의 신체나 재상상의 피해를 입힌 경우

법률상 배상책임 부담분을 보상

현재 우리가 살고 있는 세상 = 배상책임의 세상 = 배상책임보험 필수

질문 02: 배상과 보상의 차이는?

 **배상과 보상의 구분 :**
'배상'은 제3자의 **신체**나 **재산**상의 피해를 보상하는 반면 '**보상**'은 **재산**상의 손실을 보상함

배상과 보상

배상[賠償]
제3자의 권리
(신체나 재산상의 손실)를
침해한 사람이
그 손해를 물어주는 일

보상[補償]
국가 또는 단체가
적법한 행위에 의하여
국민이나 주민에게 가한
재산상의 손실을 갚아주는 일

질문 03 배상책임보험의 **보험금 지급 사례는?**

보험금 지급 사례

- **애완견**이 **타인을 물어서 상처**를 입힌 경우
- **스키장**에서 스키를 타고 활강하다가 **다른 사람과 충돌**해 치료비와 위자료가 발생한 경우
- 보험가입자의 **주택에서 누수**가 발생하여 **아랫 집의 가재나 도배가 손상**된 경우
- 길을 걷다가 타인의 어깨에 부딪혔는데 **타인의 핸드폰**이 떨어져서 **망가진** 경우
- **아파트**에서 우리집 **물건이 떨어져서** 길에 있는 사람이 다치거나 자동차가 파손된 경우
- **수영장**에서 **다른 사람에게 피해**를 줘서 상대방이 다친 경우
- **우리 집 자녀**가 **다른 사람의 집**에서 **물건을 파손**시킨 경우
- **어린 아이**가 실수로 **자동차를 손상**시킨 경우
- **우리집**에 불이 났는데 **옆집에 옮겨** 붙은 경우
- 출근하기 위하여 자신의 **차량 앞에 이중 주차된 차를 밀다 접촉**사고가 난 경우
- 우연히 백화점에서 **고급 그릇세트를 떨어뜨려서 배상** 해줘야 하는 경우
- 신랑이 **자전거를 타고 출근**을 하다 **외제차**를 긁은 경우
- **친구 폰을 사용**하다가 떨어뜨려 **파손**시킨 경우
- 자녀가 **풍선에 물을 넣어** 아래로 **던져서 자동차가 파손**된 경우 등

질문 04: 배상책임보험의 종류는 어떻게 구분하나요?

담보위험의 '**전문성 여부**'에 따라 **[일반·의무배상]**과 **[전문직업배상]**책임배상으로 구분

일반배상책임보험

- 시설소유관리자 배상책임
- 음식물 배상책임
- 생산물 배상책임[PL]
- 도급업자 배상책임
- 차량정비업자 배상책임
- 주차장 배상책임
- 학교경영자 배상책임
- 장기요양기관 배상책임
- 임상시험 배상책임
- 임원 배상책임
- 금융기관 배상책임
- 선주 배상책임
- 환경오염 배상책임

의무가입배상책임보험

- 체육시설업자 배상책임
- 수상레저 배상책임
- 학교(학원)경영자 배상책임
- 적재물 배상책임
- 수련시설 배상책임
- 가스사고 배상책임
- 어린이놀이시설 배상책임
- 재난 배상책임
- 다중이용업소 배상책임
- 유.도선사업자 배상책임
- 산후조리원 배상책임
- 승강기사고 배상책임
- 개인정보보호 배상책임
- 옥외광고사업자손해 배상책임
- 맹견 배상책임 등

法:체(육)수학적수가어재다유산승개옥맹

전문직업배상책임보험

- 의사 배상책임
- 변호사 배상책임
- 회계사 배상책임
- 세무사 배상책임
- 미용사 배상책임
- 변리사 배상책임
- 요양보호사 배상책임
- 건축사 및 기술사 배상책임
- 임원 배상책임
- 손해사정사 배상책임
- 정보 및 네트워크기술 전문직 등

전문적인 지식이나 기술을 바탕으로 고객에 대한 자문이나 서비스제공을 영업으로 하는 전문가의 업무상 과오(malpractice)나 어떤 행위를 해야 함에도 이를 하지 않은 부작위(omission)로 의뢰인에게 입힌 손해를 담보

질문 05: 시설소유(관리)자배상책임 [자영업 전업종]이 뭔가요?

- **시배책** : 피보험자가 소유, 사용, 관리하는 시설 및 그 시설의 용도에 따른 업무의 수행으로 생긴 우연한 사고로 타인의 신체나 재산상의 피해를 일으켜 피보험자가 부담해야 할 법률상의 배상책임

- **가입대상** : 숙박, 음식점, 의료, 사무용빌딩, 목욕탕, 극장/영화관, 종교시설, 노래방/게임장, 이미용실/사진관)등 다중이용업소 대부분

- **보험료 산출** : 가입 목적물, 면적에 의해 결정 [대인.대물 가입금액에 따라 다름]

- **보험금** : 치료비와 향후 치료비 및 상해 정도에 따라 위자료를 청구할 수 있음

- **자기부담금** : 10만원~50만원 [보험사별 상이]

보상하는 손해

- ▶ 상점이나 빌딩의 간판이 떨어져 통행인 또는 손님에게 부상을 입힌 경우
- ▶ 공장의 보일러가 폭발하여 인근의 주택, 차량 파손, 주민의 부상을 입힌 경우
- ▶ 음식점의 종업원이 과실로 음식물을 엎질러 손님의 의복과 화상을 입힌 경우
- ▶ 2층의 음식점에서 배수관 파열로 아래층 PC방의 집기 등에 피해를 입힌 경우
- ▶ 모텔에서 손님이 세면기에 발을 올려놓고 씻다가 세면기가 떨어져 다친 경우
- ▶ 술집의 계단에서 토사물을 밟고 굴러서 골절과 후유장해를 입은 경우 등

보상하지 않는 손해 [면책조항]

- ▶ 계약자 또는 피보험자 또는 이들의 법정대리인의 고의
- ▶ 티끌, 먼지, 석면, 분진 또는 소음으로 생긴 손해
- ▶ 벌과금 및 징벌적 손해
- ▶ 피보험자의 근로자가 근무에 종사 중 입은 신체장해에 대한 손해배상책임
- ▶ 시설의 수리,개조,신축 또는 철거공사로 생긴 손해에 대한 배상책임
  [그러나, 통상적인 유지, 보수작업으로 생긴 손해는 보상]
- ▶ 피보험자가 소유,점유,임차,사용,관리하는 자동차,항공기,선박으로 생긴 손해
- ▶ 피보험자의 시설내에서 자동차의 주차로 생긴 손해

고반물질30은 다모아미디어의 고유자산으로 무단 전제·복제 및 임의 사용시 저작권법 위반으로 5년이하의 징역 혹은 5천만원 이하의 벌금형이 부과됩니다.

질문 06: 음식물배상책임이 뭔가요?

- **음식물배상책임** : 피보험자가 보험증권에 기재된 구역 내에서 음식물을 타인에게 제조, 판매, 공급한 후 그 음식물로 생긴 우연한 사고로 인하여 타인의 신체나 재산상의 피해를 입힌 경우 보상 [특히, 동남아만큼 더운 여름날씨 (식중독 사고 급증)]

- **가입대상** : 기본적으로 구내보상 [계약된 면적의 구내에서만 보상]이 원칙(대부분 보험사 약관에는 구외보상까지 담보)이며 주로 배달[치킨,피자, 중국음식점,케이트링(단체급식업)]이 많은 업종들은 반드시 '구외보상'이 되는 지 확인하여야 함
  ※ 만약 배달업체나 케이트링업체가 화재보험 가입시 구외보상이 안되면 '생산물배상책임보험[1년소멸성]'을 별도로 가입해야 보상

- **보험료 산출** : 매출, 면적, 인원수등으로 결정 [사업자등록증 필수]

- **보험금** : 치료비,합의금,소송비용,변호사비용,중재,화해 또는 조정에 대한 비용 보상

- **가입시 필요서류** : ▶ 매출 : 사업자등록증, 손익계산서 또는 부가세 과세표준증명원   ▶ 면적,인원수등 : 사업자등록증(고유번호증), 질문서

- **자기부담금** : 5만원~50만원 [보험사별 상이]   **보장한도** : 대인 1천만원 / 1사고당 1억원

보상하는 손해

- ▶ 손님이 치킨을 먹던 중 이물질에 치아 파절
- ▶ 밥에서 돌이 나와 이가 상함
- ▶ 손님 3명이 회를 먹고 배탈 남
- ▶ 손님이 짬뽕을 배달시켜 드시고, 장염에 걸림
- ▶ 손님이 주스를 드시다가 목에 이물질이 걸림

보상하지 않는 손해 [면책조항]

- ▶ 계약자 또는 피보험자의 고의나 중대한 과실로 제조, 판매, 공급한 음식물로 생긴 배상책임
- ▶ 피보험자의 피고용인이 업무에 종사 중 입은 신체의 장해(사망포함)로 생긴 배상책임
- ▶ 통상적으로 배출되는 배수 또는 배기(연기포함)로 생긴 배상책임
- ▶ 피보험자의 작업상의 결함으로 인한 당해 음식물 자체의 손해
- ▶ 피보험자가 제조,판매,또는 공급한 음식물에 대해 수질,토지,대기오염등 환경오염 및 오염제거비용
- ▶ 결함 있는 음식물의 회수,검사 또는 대체비용에 대한 배상책임

배상책임

 고반물질30은 다모아미디어의 고유자산으로 무단 전제·복제 및 임의 사용시 저작권법 위반으로 5년이하의 징역 혹은 5천만원 이하의 벌금형이 부과됩니다.

질문 07: 가스사고배상책임 [의무]이 뭔가요?

가스사고배상책임: 가스사업자, 용기제조업자, 공급업자등이 가스사고로 타인의 신체나 재산상의 피해를 보상
※ 가스사고 : 가스로 인한 폭발, 파열, 화재 및 가스의 누출로 타인의 신체나 재산상의 피해를 입힌 사고 [사망과 유독가스를 흡입하여 발생한 중독증상]

가입대상: 가스사업자, 용기제조업자, 공급업자등은 의무적으로 가입

보험료 산출: 매출, 면적, 인원수등으로 결정 [사업자등록증 필수]

자기부담금: 5만원~50만원 [보험사별 상이]

미가입과태료 최고 2,000만원

구분	LNG도시가스	LPG 액화석유가스	고압가스
과태료	사업자 2천만원 이하 사용자 5백만원 이하	300만원 이하	2천만원 이하

가스사고배상책임보험 : 대물 의무가입한도액

▶ 1억이상 : ① 냉동용기 ② 냉동기 ③ 특정설비 ④ 가스용품 제조업자
▶ 3억이상 : ① 고압가스 제조업자/충전허가자/충전신고자/판매업자/장소설치허가자 ② 냉동제조 허가자/신고자 ③ 특정고압가스사용신고자
④ 액화석유가스 진단공급사업자/판매자/저장소설치허가자/사용신고자/충전사업자중 인구 50만 미만 시군에 위치한 사업자
⑤ 특정가스사용시설가스사용자
▶ 10억이상 : ① 액화석유가스충전사업자중 특별시,광역시,인구 50만↑시에 위치한 사업자(읍면 제외) ② 일반도시가스 사업자중 인구 50만↓ 시, 군 지역에만 공급하는 사업자
▶ 50억이상 : ① 특정제조업자 ② 일반도시가스사업자중 특별시, 광역시, 인구 50만↑ 시를 포함한 지역에 공급하는 사업자 ③ 가스 공급시설의 설치운영자

가입시 필요서류 : 사업자등록증, 가입질문서, LPG판매업자의 경우 전년도 매출액 서류 (손익계산서 또는 부가세과세표준증명원) 필요

보상하는 손해

▶ 시설내에서 가스를 소유, 사용 또는 관리하는 중에 발생한 가스사고로 인하여 타인의 신체 및 재물에 입힌 손해를 보상

보상하지 않는 손해 [면책조항]

▶ 계약자, 피보험자, 법정대리인의 고의
▶ 지진, 분화, 홍수, 해일 등 천재지변으로 생긴 손해
▶ 피보험자가 소유, 사용 또는 관리하는 재물이 손해를 입었을 경우
▶ 벌과금 및 징벌적 손해
▶ 배출시설에서 통상적으로 배출되는 배수 또는 배기(연기 포함)
▶ 가스사고를 수반하지 않은 자동차 사고로 인한 손해

고반물질30은 다모아미디어의 고유자산으로 무단 전제·복제 및 임의 사용시 저작권법 위반으로 5년이하의 징역 혹은 5천만원 이하의 벌금형이 부과됩니다.

질문 08 : 사용자배상책임 [=근재보험]이 뭔가요?

■ 사용자배상책임 [=국내근로자재해보험]
: 근재보험 안에 있는 특약 중 하나로 산재, 해외근재, 선원근재에서 초과하여 피보험자가 법률상 손해배상을 부담함으로 입은 **손해**를 보상

■ 사용자의 책임 :
▶ **채무불이행책임(사용자안전배려의무)** : 사용자는 근로자를 고용하여 근로자가 노무를 제공하는 과정에서 생명, 신체건강등에 피해를 입지 않도록 인적, 물적 조치를 강구하여야 한다는 것 [즉, '근로자에 대한 사용자의 안전배려의무' 를 말함]
▶ **불법행위책임** : 근로자가 사용자의 지배·관리하에서 업무중 재해를 당한 경우는 사용자의 '안전배려의무'가 적용되나, 사용자의 지배·관리를 벗어난 상태에서는 사용자의 고의, 과실로 입은 경우에만 사용자의 불법행위책임이 인정됨

■ 가입방법 : 원청과 하청회사가 공동으로 가입 또는 별도로 가입 / 기간 또는 공사별로 가입하는 방법

■ 보험금 : 상실수익금, 향후치료비, 위자료, 손해방지비용, 방어비용(소송비용, 협력비용)

■ 보험금지급 : 재해근로자의 임금, 연령, 재해정도(노동력 상실, 후유장해진단서) 및 본인의 과실정도를 고려하여 '호프만식'에 따라 합의금액을 산정하고, 이 금액에서 근로기준법 또는 산재보험금에 의해 지급되는 제 보상을 공제한 금액을 보상

■ 입증책임 : 피해자가 부담 [배상책임보험의 책임소재, 손해액의 범위 및 산정에 관한 입증]

보상하는 손해
▶ 재해보상책임특별약관, 재해보상관련법령에 따라 보상되는 재해보상 금액을 초과하여 피보험자가 부담하게 되는 법률상의 책임

보상하지 않는 손해 [면책조항]
▶ 계약상 가중책임 ▶ 업무상 재해로 인정되지 않는 배상책임
▶ 산재보상보험법상 구상권, 특별급여
▶ 재해발생일로부터 3년이 경과한 후의 배상
▶ 재해보상책임특별약관의 실임금 미달에 따른 차액
▶ 티끌, 먼지, 석면, 분진 또는 소음으로 생긴 손해
▶ 전자파, 전자장(EMF)으로 생긴 손해

배상책임

질문 09 : 임차자배상책임이 뭔가요?

- **임차자배상책임** : 피보험자가 임차한 보험증권에 기재된 **부동산**이 화재, 폭발, 파열, 소요, 및 노동쟁의로 인하여 **소멸**되거나 **망가짐**으로써 그 부동산에 대하여 정당한 권리를 가진 자(건물주)에게 법률상의 배상책임을 부담함으로써 입은 **손해**를 보상

- **임차자의 책임**
  - ▶ **원상복구의무** : 임차자는 임차기간 종료후 임대인에게 계약이전 상태로 원상복구 후 반납할 의무가 있음
  - ▶ **손해배상책임의무** : 임차자가 임차한 목적물이 임차자의 책임있는 사유로 소멸 또는 망가질 때 임대인에게 손해를 배상할 책임

건물 VS 임차자배상책임보험의 차이

내용	건물담보	임차자배상책임
성격	화재보험	배상책임보험
법률	법률상 배상책임과 관계 없이 화재손해를 보상(과실여부 상관 없음)	법률상 배상책임이 있는 경우만 보상
보상범위	1) 임차공간에서 화재 발생시 (보상) 2) 연소로 화재 피해시 (보상) 3) 다른 집에서 옮겨 붙은 불 (보상) 4) 타인의 고의적인 방화 (보상)	1) 임차공간에서 화재발생시 (보상) 2) 연소로 화재 피해시 (면책) 3) 다른 집에서 옮겨 붙은 불 (면책) 4) 타인의 고의적인 방화 (면책)
보험료	다소 높음	다소 저렴함
지급보험금산정방식	손해액 X (보험가입금액/보험가액의 80%) 또는 가입금액 실손형	손해액 X (보험가입금액/보험가액) 또는 가입금액 실손형

- **피보험자의 범위** : 보험증권에 기재된 **피보험자(임차자)**와 동거하는 **친족, 동숙자**, 일시 방문자나 피보험자 본인의 **친족 또는 동숙자가 고용한 자**

보상하는 손해
- ▶ 피보험자가 피해자에게 지급할 책임을 지는 법률상의 손해배상금
 (손해배상금을 지급함으로써 대위 취득할 것이 있을 때에는 그 가액을 차감)
- ▶ 손해의 방지 또는 경감을 위하여 지출한 필요 또는 유익하였던 비용
- ▶ 소송비용, 변호사비용, 중재, 화해 또는 조정에 관한 비용
- ▶ 보험증권상의 보상한도액 내의 금액에 대한 공탁보증보험료등

보상하지 않는 손해 [면책조항]
- ▶ 임차자가 관리하는 급배수관, 냉난방장치, 습도조절장치, 소화전, 업무용기구, 스프링쿨러로부터의 증기, 물 또는 내용물의 누출 혹은 넘쳐흐름 손해
- ▶ 사용손실등 일체의 간접손해에 대한 배상책임
- ▶ 사고로 생긴 것이 아닌 도장 제비용에 대한 손해
- ▶ 임차부동산을 제외한 보험계약자 또는 피보험자가 소유, 점유, 임차, 사용 하거나 보호, 관리, 통제하는 재물에 생긴 손해

질문 10: 체육시설업자배상책임 [의무]이 뭔가요?

■ 체육시설업자배상책임
체육시설업자배상책임 : 체육시설업자는 체육시설의 설치·운영과 관련되거나 그 체육시설 안에서 발생한 피해를 보상하기 위해 가입해야 함
※ 가입 제외업종 : 소규모체육시설업자로 규정되는 체육도장, 골프연습장, 체력단련장, 당구장등

■ 피보험자 범위
골프장, 골프연습장, 궁도장, 게이트볼장, 농구장, 당구장, 라켓볼장, 럭비풋볼장, 롤러스케이트장, 배구장, 배드민턴장, 벨로드롬, 볼링장, 봅슬레이장, 빙상장, 사격장, 세팍타크로장, 수상스키장, 수영장, 무도학원, 무도장, 스쿼시장, 스키장, 승마장, 썰매장, 씨름장, 아이스하키장, 야구장, 양궁장, 역도장, 에어로빅장, 요트장, 육상장, 자동차경주장, 조정장, 체력단련장, 체육도장, 체조장, 축구장, 카누장, 탁구장, 테니스장, 펜싱장, 하키장, 핸드볼장, 그 밖에 국내 또는 국제적으로 치뤄지는 운동종목의 시설로서 '문화체육관광부장관'이 정하는 것

■ 보험가입 기한, 가입금액 및 자기부담금
▶ 체육시설업자는 체육시설업을 등록하거나 신고한 날로부터 10일이내에 손해보험에 가입하여야 함
▶ 대인보상한도 피해자 1인당 1억5천만원 [손해액이 2천만원미만인 경우 2천만원] / 인원수 무한
▶ 자기부담금 : 10~100만원 [자기부담금 가입금액 선택가능]

■ 미가입시 과태료 : 과태료 최고 100만원

보상하는 손해
▶ 대한민국 내에서 보험기간 중 보험증권에 기재된 피보험자가 소유, 사용 또는 관리하는 체육시설 및 그 시설 용도에 따른 업무의 수행으로 생긴 우연한 사고로 피보험자가 타인의 신체에 장해를 입히거나 타인의 재물을 망가 뜨려 법률상 배상책임을 부담함으로써 입은 손해를 보상

보상하지 않는 손해 [면책조항]
▶ 계약자, 피보험자, 법정대리인의 고의
▶ 전쟁, 혁명, 내란, 사변, 테러, 폭동, 소요, 노동쟁의 등으로 생긴 손해
▶ 지진, 분화, 홍수, 해일 emd 천재지변
▶ 피보험자와 타인 간에 손해배상에 관한 약정이 있는 경우 가중 손해
▶ 전문직업배상책임 : 일반배상책임만을 보상
▶ 벌과금 및 징벌적 손해

배상책임

목차 [질문 11~20번]

11. 제조물(생산물)배상책임이 뭔가요?

12. 건설기계업자배상책임이 뭔가요?

13. 창고업자배상책임이 뭔가요?

14. 학교(학원)경영자배상책임[의무]이 뭔가요?

15. 적재물배상책임보험[의무]이 뭔가요?

16. 어린이놀이시설배상책임[의무]이 뭔가요?

17. 약국(약사)배상책임이 뭔가요?

18. 수련시설배상책임[의무]이 뭔가요?

19. 승강기사고배상책임보험[의무]이 뭔가요?

20. 주차장배상책임이 뭔가요?

질문 11: 제조물[생산물]배상책임이 뭔가요?

제조물[생산물]배상책임 : 생산물배상책임보험은 제조물책임법에 의한 법률상 손해배상책임을 담보
제조물책임은 **제조업자가 생산한 제품**이나 **판매업자가 판매한 제품**의 **결함**으로 인해 소비자가 사용하던 중 **제조물의 결함으로** 인해 **신체 또는 재산상에 손해를 보상** 제품에 결함이 있고 그 결함으로 인해 피해가 발생한 경우에만 해당 제품의 제조사가 책임을 짐

제조물의 결함
가. **제조상**의 결함 : 제품의 원료, 부품이나 제조 및 가공과정등에서 생긴 결함으로 원래 의도한 설계와 다르게 제조, 가공됨으로써 안정성이 결여된 결함
나. **설계상**의 결함 : 제품의 외형, 품질, 구조의 설계에 내재하는 결함으로 합리적인 대체설계를 했더라면 발생되지 않았을 결함
다. **표시상**의 결함 : 제조업자가 합리적인 설명, 지시, 경고 기타의 표시를 하였더라면 피해나 위험을 줄이거나 피할 수 있었을 결함

보험가입의 주체 : ① 제조업자 ② 유통(판매)업자 ③ 수입판매업자 모두 가입 가능

필요서류 : ① 사업자등록증 사본 ② 질문서 ③ 상품 팸플릿(리플릿) ④ 매출액자료 (손익계산서, 매출액확인서, 과세표준증명원등)

보상하는 손해

▶ **결함 또는 하자** 있는 제품으로 인한 **화재, 폭발**로 인한 손해
▶ **제품 사용수칙의 미비**로 인한 손해
▶ **제품사용**에 따른 **경고, 주의의무 위반**에 따른 사고로 인한 손해
▶ **설계결함**으로 인해 발생한 사고로 인한 손해
▶ 각종 **비용손해 : 손해배상금 / 손해방지비용 / 대위권보존비용 / 소송비용 / 공탁보증보험료** 등

보상하지 않는 손해 [면책조항]

▶ 작업물(제품) 자체의 손해에 대한 배상책임
▶ 결함있는 생산물의 회수, 검사, 수리 또는 대체하는 비용 및 사용손실에 대한 배상책임
▶ 생산물의 성질 또는 하자에 의한 생산물자체의 손해에 대한 배상책임
▶ 타인과의 계약에 의하여 가중된 배상책임
▶ 생산물로 생긴 수질, 토지, 대기오염등 일체의 환경오염에 대한 배상책임
▶ 피보험자가 소유, 점유, 임차, 사용, 관리, 보호, 통제하는 재물이 입힌 배상손해
▶ 벌과금 및 징벌적 손해에 대한 배상책임
▶ 기타 약관에서 정한 보상하지 않는 손해

배상책임

질문 12: 건설기계업자배상책임이 뭔가요?

- **건설기계업자배상책임** : 건설기계 및 건설기계의 용도에 따른 업무의 수행으로 생긴 **우연한 사고**로 제3자의 대인,대물사고를 담보

- **보험료/가입금액/자기부담금**
  - ▶ 보험료 산출 : 보상한도액, 공제금액, 건설기계의 특성 [기계종류 및 등록번호, 타이어식, 무한궤도식 여부]
  - ▶ 보험가입금액 : 1천만원~10억원 선택가입 가능 [건설기계운전자의 상해는 면책]
  - ▶ 자기부담금 : 최소 30만원 [자기부담금이 50만원 할인율 5%, 100만원 할인율 10%가 적용]

- **보험가입의 주체** : 6종 건설기계(중기)를 제외한 각종 **건설기계의 소유자 및 임차자**
  - ※ 6종건설기계(중기) : 자동차손해배상보장법의 적용을 받는 6종 건설기계에 대하여는 적용하지 않는다.
  - [6종 건설기계 : 덤프트럭, 타이어식기중기, 타이어식 굴삭기, 콘크리트믹서트럭, 트럭 적재식 콘크리트펌프, 아스팔트 살포기]

- **보험가입대상** :
  - ▶ 1종 : 기중기(크레인)류
  - ▶ 2종 : 굴삭기, 항타기, 천공기 등 주로 굴착 또는 말뚝을 박고 빼는 장비류
  - ▶ 3종 : 불도저, 로우더, 지게차, 그레이더, 스크레퍼, 아스팔트살포기, 로울러 등의 장비류

- **필요서류** : ① 건설기계 등록증 ② 자동차 등록증 또는 제작증 ③ 사업자 등록증

보상하는 손해

- ▶ 각종 비용손해 : 손해배상금 / 손해방지비용 / 대위권보존비용 / 소송비용 / 공탁보증보험료 등

보상하지 않는 손해 [면책조항]

- ▶ 피보험자의 근로자가 피보험자의 업무에 종사중 입은 신체장해에 대한 손해 배상책임
- ▶ 티끌, 먼지, 분진 또는 소음으로 생긴 손해 배상책임
- ▶ 지하매설물 손해 및 손해를 입은 지하매설물로 생긴 다른 재물의 손해 배상책임
- ▶ 폭발로 생긴 손해 배상책임
- ▶ 중기자체의 결함으로 생긴 손해로 중기제작자에게 배상책임이 있는 손해 배상책임
- ▶ 토지의 내려 앉음, 융기, 이동, 진동, 붕괴 또는 토사의 유출로 생긴 토지의 공작물, 그 수용물 및 식물 또는 토지의 무너짐과 지하수의 증감으로 생긴 손해

고반물질30은 다모아미디어의 고유자산으로 무단 전제·복제 및 임의 사용시 저작권법 위반으로 5년이하의 징역 혹은 5천만원 이하의 벌금형이 부과됩니다.

질문 13: 창고업자배상책임이 뭔가요?

- **창고업자배상책임** : 창고에 동산(제품이나 물건등)을 보관시에 발생할 수 있는 **피해**에 대하여 보상

- **창고업의 분류** : 보통창고업, 냉장창고업, 위험물품보관업등으로 분류

- **보험료/보험가입금액/자기부담금** : **구득요율**이므로 보험료 산출을 위해서 첨부된 설문서를 작성해야 함

- **보험가입시 체크리스트 [2가지_중요]**
  가. 보관시설(창고) : ① 창고명 ② 창고 허가번호와 허가종류 ③ 위치 ④ 구조 ⑤ 면적 ⑥ 야적장 면적 ⑦ 소화설비내용 ⑧ 관리관계 ⑨ 경비시설 및 방법
  나. 수탁물 : ① 수탁물의 종류 ② 보세화물 보관여부 [수출화물 또는 수입화물] ③ 수량 ④ 보관기간 ⑤ 위탁자성명 ⑥ 위탁자주소

보상하는 손해

- ▶ 화재 (벼락포함) ▶ 폭발 ▶ 강도 ▶ 도난
- ▶ 각종 비용손해 : 손해배상금/손해방지비용/대위권보존비용/소송비용/공탁보증보험료

보상하지 않는 손해 [면책조항]

- ▶ 설비의 고장이나 전기공급중단이 6시간 미만동안 지속된 사고로 발생한 손해 배상책임
- ▶ 위탁동산 : 본인의 재산이 아니기 때문에 면책
- ▶ 금, 은, 유가증권, 가축류, 의약품등의 손실로 인한 배상책임
- ▶ 국가, 공공기관의 수탁화물의 징발, 몰수, 압류, 압수 또는 국유화로 생긴 손해 배상책임
- ▶ 청과류 및 채소류에 생긴 손해에 대한 배상책임
- ▶ 재고조사시 발견된 손해에 대한 배상책임
- ▶ 사용손실등 모든 간접손해에 대한 배상책임
- ▶ 수탁화물을 가공 중에 생긴 손해에 대한 배상책임
- ▶ 인도 또는 배달착오, 분실, 좀도둑 또는 감량으로 생긴 손해에 대한 배상책임
- ▶ 수탁화물의 하자, 자연소모 또는 성질로 인한 발화, 폭발, 뜸, 곰팡이, 부패, 변색, 향기의 변질, 녹과 기타 이와 유사한 사고로 생긴 손해에 대한 배상책임
- ▶ 수탁물을 위탁자에게 인도된 후에 발견된 손해에 대한 배상책임

질문 14: 학교(학원)경영자배상책임 [의무]이 뭔가요?

학교(학원)경영자배상책임: 학교 경영과 관련하여 소유, 사용, 또는 관리하는 **시설 및 학교시설**이나 **학교업무**에 관련된 지역에서 **학교 업무의 수행 중 생긴** 우연한 **사고**로 피보험자가 부담하게 되는 법률상 손해배상책임을 담보

가입대상: 법에 의한 교육기관, 관계법령에 의해 인허가를 득하거나 등록, 신고 필한 교육기관
[중고등학교, 대학교, 평생교육원, 사이버대학교등]

보장내용: ① 법률상손해배상금 ② 손해 경감비용 ③ 방어비용 [소송비용, 변호사비용등]

손해의 범위: 치료비 [180일한도]   **미가입 과태료**: 최고 **300만원**

필요서류: ① 가입질문서 ② 사업자등록증 ③ 유치원, 기타 유아교육기관인 경우 허가증

산출기초: ① 학교명 ② 소재지 ③ 학생수 ④ 보상한도액 및 자기부담금 설정

□ 학교경영자배상책임보험 가입예시
1) **가입기간**: 2019. 10. 21. 16:00 - 2020. 10. 21. 16:00까지
2) **보장내역**
- 대인배상: 2억원(1인당)/5억원(1사고당)/자기부담금 10만원
- 대물배상: 1억원(1사고당)/자기부담금 10만원
- 재학생구내외치료비: 2백만원(1사고당)/자기부담금 10만원
- 신입생 OT 상해사망후유장해 2억원
- 신입생 OT 상해의료비 2백만원
- 교직원대인배상 2억원(1인당)/5억원(1사고당)/자기부담금 10만원
- 교직원대물배상 1억원(1사고당)
3) **보장범위**: 보험증권에 기재된 보상한도액을 한도로 치료비를 지급 [피해일로부터 180일한도]

보상하는 손해

- **학교시설에 기인된 배상책임**
  학교시설이라 함은 교실, 체육관, 강당, 실험실습실, 도서관 등과 같이 학생의 교육과 일상적, 직접적인 시설로 교육과 직접적인 관련이 없는 학교 소유인 임야, 구내식당, 대학병원은 제외

- **학교업무에 기인된 배상책임**
  ▶ 학교업무는 교육에 직접적으로 관련된 업무 뿐만 아니라 학교시설의 관리에 따르는 필수적이고 부수적인 업무를 포함
  ▶ 학교업무는 학교내에서의 업무 뿐만 아니라 수학여행, 견학, 실습 등 학교밖에서의 교육과 관련된 업무를 포함

보상하지 않는 손해 [면책조항]

▶ 학교시설의 수리, 개조, 신축 또는 철거 공사로 생긴 손해에 대한 배상책임
▶ 동물, 식물의 소유, 임차, 사용이나 관리로 생긴 배상책임
▶ 학교 시설을 타인에게 임대하여 타인이 사용 중 지는 배상책임
▶ 교직원이나 학생들의 개인적인 배상책임
▶ 과음으로 인한 위염 등의 각종 질병으로 인한 손해
▶ 음식물이나 재물사고
▶ 학생 간의 다툼, 체벌, 고의 사고, 취중 사고, 교통사고(오토바이포함)손해
▶ 학교의 운동선수로 등록된 자 또는 그의 지도감독을 위하여 등록된 자가 그 운동을 위한 연습, 경기 또는 지도 중에 생긴 손해에 대한 배상책임
▶ 학교 구내 밖에서 생긴 신체장해: 치료비추가특약을 가입해야 보상

질문 15: 적재물배상책임보험 [의무]이 뭔가요?

- **적재물배상책임** : 운송계약을 중개, 대리하거나 운송업자가 행하는 운송을 이용하여 자기의 명의와 계산으로 화물을 운송하는 도중 발생하는 배상책임

- **필요서류[지입차량]** : ① 차량소유자면허증 ② 근로계약서 ③ 차량등록증 ④ 사업자등록증 ⑤ 연 매출 서류 중 택1[손익계산서,부가가치세과세증명,면세사업자 소득금액증명]

- **미가입 과태료** : 최고 500만원

- **상품특징** : ① 의무가입보험 ② 분납이 가능 ③ 계약해지가 자유로움

- **가입대상** : ① 운송사업자 ② 운송주선사업자 ③ 운송가맹사업자

가입대상	대상요건	보상한도액	공제금액
운송사업자	최대적재량 5톤이상, 총중량 10톤이상	차량당 2천만원이상	20만원
운송주선사업자	국내운송주선사업자 (이사화물주선 제외)	사업자당 2천만원이상	20만원
운송가맹사업자	운송사업자+운송주선사업자	사업자당 2천만원이상	20만원

- **보험가입형태** : ① 기간담보 ② 구간담보

구분 (보험기간)	기간 (연간단위)	구간 (매운송시,개별계약건)
보험료산출기초	차량톤수, 대수	화물종류, 가액, 운송거리, 환적횟수
약관	보통약관	특별약관 (2천만원 이상)
담보범위	상,하차담보	상하차,반입반출 (환적시 할증)

보상하는 손해

구분	약관명	보상하는 손해
기본보장	적재물배상책임보험보통약관 -화물자동차운송위험보장	운송의 목적으로 수탁받은 화물을 보험증권에 기재된 화물자동차로 운송하는 동안 생긴 우연한 사고로 인해 수탁화물에 대한 법률상의 배상책임
	적재물배상책임보험보통약관 -화물자동차운송주선위험보장	자기의 명의로 운송계약을 체결하거나 중개 또는 대리를 의뢰받은 수탁화물에 대하여 화주로부터 수탁받은 시점으로부터 수하인에게 인도하기까지의 운송과정중에 생긴 수탁화물에 대한 배상책임
특약보장	구간운송 특별약관	사전에 정한 구간을 운송하는 동안의 위험만을 보장
	수탁화물확장보장특약(I)	기본보장에서 제외되는 수탁화물중 일부품목(시계,담배,모피류,유리제품,계란류,살아있는동물)을 확장하여 보장
	수탁화물확장보장특약(II)	기본보장에서 제외되는 수탁화물중 일부품목(원고,증서,미술품,골동품,귀금속류,유가증권류등)을 확장하여 보장
	냉동냉장장치보장특약	냉동/냉장장치를 이용한 화물운송시 설비고장등으로 인한 배상책임
	화물운송부수업무보장특약	화물운송에 관한 부수업무를 수행하는 동안 발생한 사고로 인하여 수탁화물에 입힌 재산손해를 보장

보상하지 않는 손해 [면책조항]

▶ 수탁화물의 하자, 자연소모 또는 성질로 인한 발화, 폭발, 뜸, 곰팡이, 부패, 변색, 향기의 변질, 녹과 기타 이와 비슷한 사고로 생긴 손해 배상책임

▶ 차량의 덮개 또는 화물의 포장 불완전으로 생긴 손해

▶ 담보차량의 충돌이 수반되지 아니한 경우 수탁화물 간의 충돌, 접촉으로 생긴 손해 배상책임

▶ 담보차량의 충돌이 수반되지 아니한 경우 냉동, 냉장장치 또는 설비의 고장이나 전기공급의 중단에 의한 온도변화로 수탁화물에 생긴 손해 배상책임

▶ 분실, 감량으로 생긴 손해 배상책임

▶ 수탁물이 수하인에게 인도된 후 14일을 초과하여 발견된 손해 배상책임

배상책임

고반물질30은 다모아미디어의 고유자산으로 무단 전제·복제 및 임의 사용시 저작권법 위반으로 5년이하의 징역 혹은 5천만원 이하의 벌금형이 부과됩니다.

질문 16: 어린이놀이시설배상책임 [의무]이 뭔가요?

어린이놀이시설배상책임
1) **관리주체위험담보** : 어린이 놀이시설 및 그 시설의 용도에 따른 업무의 수행으로 생긴 우연한 사고로 인해 놀이시설을 이용하는 타인에게 부담하는 배상책임
2) **안전검사기관위험담보** : 어린이놀이시설의 안전검사, 안전인증, 정기검사, 설치검사등의 업무의 하자로 인해 놀이시설을 이용하는 타인에게 부담하는 배상책임

가입대상
어린이 놀이시설 관리 주체(소유자, 관리책임자), 어린이 놀이시설 안전검사기관

필요서류
① 사업자등록증 ② 면적, 정원 수를 확인할 수 있는 객관적인 서류 ③ 등기부등본 ④ 토지건물대장 ⑤ 인가서류등

법정가입금액 및 미가입 과태료
① **법정가입금액** : 1) 대인배상 : 사망/부상/후유장해 [8천만/1500만/8천만] 2) 대물배상 : 1사고당 증권에 기재된 금액
② **미가입 과태료** : **500만원 이하**

주요특별약관
① **구내치료비특별약관** : 피보험자의 '과실유무'를 따지지않고 발생한 손해에 대해 **무조건 보상**되며, 시설내에서 발생한 사고로 제3자의 상해손해에 대한 **치료비를 전액** 보상
② **어린이놀이시설배상책임 초과보상 특별약관** : 법적 가입한도(대인 1인당 8천만원, 대물 2백만원)를 초과하는 **법률상배상책임** 손해를 보상

보상하는 손해

▶ 기본담보(보통약관)
: 어린이놀이시설의 이용자에 대한 배상책임담보

▶ 선택담보
: 구내치료비담보 특별약관

▶ 대물배상
: 어린이놀이시설배상초과담보 특별약관

보상하지 않는 손해 [면책조항]

▶ 보관자 책임 ▶ 무체물에 입힌 손해 ▶ 시설의 수리, 개조, 신축 또는 철거공사로 생긴 손해
▶ 피보험자가 양도한 시설로 생긴 손해 및 시설 자체의 손해
▶ 법령에 의해 금지된 행위나 기구, 기계 또는 장치등 도구사용으로 생긴 손해
▶ 신체장해나 재물손해를 수반하지 않는 재정적 손실
▶ 어린이 놀이시설의 관리주체 또는 어린이놀이기구의 제작자, 수입업자, 판매업자, 설치업자의 관리소홀로 발생한 손해
▶ 어린이 놀이기구의 제조, 판매, 공급 또는 유통상의 결함으로 인한 손해
  [다만, 안전검사기관이 안전성을 인정한 경우에는 보상]
▶ 안전검사기관, 건축사, 설계사, 측량사등 전문직업인의 과실로 생긴 손해

질문 17: 약국[약사]배상책임이 뭔가요?

약국[약사]배상책임

1) **의약품 배상책임** : 의약품을 제조, 판매 또는 공급한 후 타인의 신체에 장해를 입힌 경우 보상
   ※ 약사 여러명 : 각각의 약사 정보를 정확히 입력후 가입
   ▶ 가입금액 : 1인당 2천만 한도, 1사고당 1억 한도   ▶ 자기부담금 : 1사고당 10만원 [※ 회사마다 다를 수 있음]

2) **약국시설 배상책임** : 약국내에서 시설을 사용하다가 다친 경우에 민사적 책임을 다할 수 있게 보상
   ▶ 가입금액 : 1인당 1억 한도, 1사고당 10억 한도   ▶ 자기부담금 : 1사고당 10만원 [※ 회사마다 다를 수 있음]
   ※ 단, 약국에서 일하시는 분들은 보상 불가!

필요담보
① 화재배상책임 ② 화재벌금 ③ 약국시설 배상책임 ④ 의약품 등 배상책임 ⑤ 민사/행정 소송 법률비용 특약 ⑥ 업무상 과실치사 벌금비용

피보험자 :
1) 보험증권에 기재된 피보험자(피보험자는 약사여야 함)   2) 기명피보험자의 업무를 보조하는 약사

보상하는 손해
▶ 조제 판매한 의약품으로 인하여 타인의 신체에 생긴 손해를 보상

보상하지 않는 손해 [면책조항]
▶ 피보험자의 고의, 중과실로 법령을 위반하여 조제 판매한 약으로 인한 손해
▶ 문제 있는 의약품의 회수, 검사 또는 대체비용
▶ 의약품 자체의 하자로 인한 배상책임
▶ 무자격자에 의하여 조제 판매된 약으로 인한 배상책임
▶ 처방전 없이 임의로 조제 및 판매함으로 인한 배상책임
▶ 처방전 등 법률상 보존하여야 하는 기록을 남기지 않음으로 인한 손해
▶ 조제, 판매 및 공급한 의약품 등과 직접적인 관련 없는 타인의 신체장해 또는 재물손해
▶ 피보험자간 손해배상 청구 [※ 단, 고객으로부터 제기하는 배상청구는 담보]
▶ 기타 보험약관에 정하는 사항

고반물질30은 다모아미디어의 고유자산으로 무단 전제·복제 및 임의 사용시 저작권법 위반으로 5년이하의 징역 혹은 5천만원 이하의 벌금형이 부과됩니다.

질문 18: 수련시설배상책임 [의무]이 뭔가요?

- **수련시설배상책임** : 피보험자가 소유, 사용 또는 관리하는 **수련시설 및 그 시설의 용도**에 따라 생긴 **우연한 사고**로 제3자의 신체나 재산상의 손해를 배상

- **가입대상**
  1) 청소년수련관 및 청소년 문화의 집 [건축연면적 1천㎡초과인 경우] 2) 청소년수련원, 청소년 야영장 및 유스호스텔 3) 기타 수련시설 [임의가입대상]

- **보상한도 및 자기부담금**
  1) **대인**배상 : **사망 8천만/부상 1,500만/후유장해 8천만** 2) 대물배상 : 1사고당 보험증권에 기재된 금액 3) 자기부담금 : 대인,대물 각각 1사고당 10만원

- **특별약관의 보상내용** : 1) 치료비지급 특별약관   2) 물적손해 확장담보 특별약관   3) 음식물 특별약관

- **필요서류**   1) 가입질문서 2) 사업자등록증 3) 목적물 내역리스트 4) 수련시설 허가증
  5) 다음중 택1 [연매출 증빙서류,손익계산서,부가가치세 표준과세증명,면세사업자 소득금액증명]

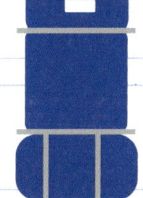

- **수련시설[수련시설내] vs 청소년활동배상책임보험**
  1) 청소년활동을 기획, 운영하려는 자가 스키캠프, 청소년 토론회 등 이 행사를 주관하기 전 보험증권을 관청에 제출하는 보험으로 행사할 때마다 건건이 계약하는 보험
  2) 청소년활동배상책임보험을 가입하지 않고 청소년활동 주최 시에 **최고 300만원의 과태료**를 부과
  3) 부모 또는 보호자등과 함께 참여하거나 종교단체와 다른 법률에서 지도, 감독을 받는 단체 등이 운영하는 행사는 보험가입의무 면제

보상하는 손해

▶ 수련시설의 용도에 따른 배상책임 발생시 보상
▶ 수련시설의 업무의 수행에 따른 배상책임 발생시 보상

보상하지 않는 손해 [면책조항]

▶ 계약자, 피보험자, 법정대리인의 고의
▶ 전쟁, 혁명, 내란, 사변, 테러, 폭동, 소요, 노동쟁의 등 손해
▶ 지진, 분화, 홍수, 해일 또는 이와 비슷한 천재지변으로 생긴 손해
▶ 피보험자가 소유, 사용 또는 관리하는 재물이 손해를 입었을 경우
▶ 피보험자와 타인 간에 손해배상에 관한 가중된 손해
▶ 벌과금 및 징벌적 손해
▶ 피보험자의 피용인이 업무에 종사 중 입은 신체의 장해(사망포함)

질문 19: 승강기사고배상책임보험 [의무]이 뭔가요?

가입대상 : 대상승강기에 해당 + **승강기별 ID(숫자7자리)존재** [※ 승강기별 ID는 [승강기 민원24]에서 소재지 주소 건물명으로 조회 가능]
엘리베이터 승객용/화물용/소방구조용, 에스컬레이터, 자동보도, 자동차용리프트(카리프트), 휠체어리프트

▶ **승강기 소유자** : 건물주 / 법령에 의한 승강기 관리자 / 관리주체와의 계약에 따라 책임·권한을 부여 받은 자

※ 공동주택의 경우(공동주택 중 일부만 소유한 경우) 관리주체는?
① 공동주택의 관리사무소장 ② 주택관리업자 ③ 임대사업자가 관리주체

※ 공동주택인데 관리사무소등 관리주체가 없을 경우 '입주민 공동피보험자' 또는
'대표자선정'등으로 해당 '승강기ID'로 보험가입이 되어야 과태료 미부과

보험기간 : 1년
▶ 의무보험으로 엘리베이터 소유자 또는 관리자는 무조건 가입

보상한도액 : 초과손해액보장 특약 시 보상한도액 증액가능

▶ **대인배상** : 사망 8천만(1인당)/부상 1500만(1급)~20만(14급)/후유장해 8천만(1급)~500만(14급) [1사고당 10억원까지]
▶ **대물배상** : 1천만원(1사고당 10억원까지)
※ **자기부담금 : 사고당 10만원(기본)**   ※ 가입가능한도액 : 대인·대물 각각 10억원까지 가입가능

과태료 : 1차위반 : 100만원 / 2차위반 : 200만원 / 3차위반 : 400만원, **2019년9월28일부터 과태료 최고 500만원**

시행시기 및 보험료 : 2019년 9월 28일부터 / 승강기 1대당 연간 약2만원정도

가입시 필요서류
▶ **사업자**로 가입 : **사업자등록증**, 승강기 고유번호(7자리), 승강기 전체 층수(지하 포함, 최고층), 승강기 종류
▶ **개인**으로 가입 : **성함, 주민번호**, 승강기 고유번호(7자리), 승강기 전체 층수(지하 포함, 최고층), 승강기 종류

배상책임

고반물질30은 다모아미디어의 고유자산으로 무단 전제·복제 및 임의 사용시 저작권법 위반으로 5년이하의 징역 혹은 5천만원 이하의 벌금형이 부과됩니다.

질문 20. 주차장배상책임이 뭔가요?

- **주차장배상책임** : [영업배상책임보험 보통약관 + 주차장배상특별약관] : 주차장 내에서 발생할 수 있는 제3자에 대한 대인, 대물 배상책임

- **보험가입에 대한 강제사항은 없음**
  ※ 다만 주차장 운영 책임주체가 갖추어야 할 조건으로 약 30평이상 주차장을 운영하는 자는 CCTV설치 등 주차장내 보관하는 차량의 안전을 위한 설치는 의무

- **주차장의 종류**
  1) **실외 자주 주차장** [실외에서 운전자가 직접 운행하여 주차장에 주차하는 곳]   2) **실내 자주 주차장** [실내에서 운전자가 직접 주차장에 주차하는 곳]
  3) **기계식 주차장** [동력장치가 구비되어 차량을 이동시키는 주차장]   4) **2단 주차기 주차장**

- **가입주체** : 타인의 차량을 대신 보관. 사용. 운행하는 사업자 혹은 개인으로서 차량의 사고에 대한 배상책임 있는 자

- **선량한 관리자의 주의의무 대상이 되는 경우** [주차장관리책임에 따른 배상책임이 발생]
  1) 차량이 진,출입시 점검하거나 봉쇄하는 시설이 설치되어 있는 경우(즉, 출입바, 출입문 등)
  2) 고객이 차량 열쇠를 맡긴 경우   3) 주차장내 외부인의 출입이 허용되지 않는 경우등

- **자기부담금** : 보통 **50만원**

- **보험료** : [1년단위 소멸성보험]
  1) **자주 주차장**의 경우 : **주차장 면적** 기준
  2) **기계 주차장**의 경우 : **주차가능 대수** 기준
     ※ 보험가입금액의 과,소 / 가입자 손해율 등에 따라 보험료는 달라짐   ※ 20대 기계주차장의 경우 : 약18만원 내외 정도
     ※ 100평 기준 주차장 : 외부주차장(실외)은 약40만원 내외, 실내주차장의 경우 20만원 내외   ※ 보험사별로 차등이 있을 수 있음

보상하지 않는 손해 [면책조항]

▶ 주차장 내에서 **무면허 운전자의 자동차 조작**으로 생긴 배상책임
▶ **주차장 이외의 장소**에 주차한 자동차 및 그 자동차로 기인한 **사고**로 생긴 배상책임
▶ **주차장 관리자**의 자동차 사용 중 사고 [**발렛파킹**] : **대부분 보험사 인수 금지**

목차 [질문 21~30번]

21. 신체손해배상책임이 뭔가요?

22. 개인정보보호배상책임[의무]이 뭔가요?

23. 전문인배상책임이 뭔가요?

24. 이·미용배상책임이 뭔가요?

25. 보관자배상책임이 뭔가요?

26. 차량정비업자배상책임이 뭔가요?

27. 산후조리원배상책임[의무]이 뭔가요?

28. 옥외광고사업자손해배상책임[의무]이 뭔가요?

29. 맹견사고배상책임[의무]이 뭔가요?

30. 일상생활/가족생활/자녀배상책임이 뭔가요?

질문 21: 신체손해배상책임이 뭔가요?

신체손해배상책임 : **특수건물 소유자**는 그 건물의 화재로 인하여 타인이 사망하거나 부상당하는 경우 소유자의 과실이 없는 경우에도 위 법률에 따른 보험가입금액의 범위 내에서 그 손해를 배상할 책임이 있으며, **신체손해배상특약부 화재보험에 가입하여야 함**

가입대상 : 특수건물 [화재보험 의무가입대상]

국유건물, 공유건물, 교육시설, 백화점, 시장, 의료시설, 흥행장, 숙박업소, 다중이용업소, 운수시설, 공장, **16층이상 아파트, 11층 이상 건물**등으로 일정 규모이상 건물로 화재보험 가입을 의무화하고 있는 건물 [※ 특수건물 화재보험 가입시 : 신체손해배상특약은 자동으로 가입됨]

보상한도 및 자기부담금

1) 대인배상 : 1인당 사망 8천만(1사고당 무한) / 부상 1급(1500만)~14급(60만) / 후유장해 1급(8천만)~14급(5백만)
2) 대물배상 : 1사고당 : 보험증권에 기재된 금액
3) 자기부담금 (공제금액) : 1사고당 10만원

보상하는 손해

▶ 피보험자가 피해자에게 지급할 책임을 지는 법률상의 손해배상금
▶ 계약자 또는 피보험자가 지출한 아래의 비용
  가. 피보험자가 손해의 방지 또는 경감을 위하여 지출한 필요 또는 유익하였던 비용
  나. 피보험자가 손해의 배상을 받을 수 있는 그 권리는 지키거나 행사하기 위하여 지출한 필요 또는 유익하였던 비용
  다. 피보험자가 지급한 소송비용, 변호사비용, 중재, 화해 또는 조정에 관한 비용
  라. 보험증권상 보상한도액내의 금액에 대한 공탁보증보험료 [그러나 회사는 그러한 보증을 제공할 책임은 부담하지 않음]
  마. 회사의 요구에 따르기 위하여 지출한 비용

보상하지 않는 손해 [면책조항]

▶ 피해자의 고의 중대한 과실, 법령위반으로 생긴 화재로 피해자 본인이 입은 손해
▶ 전쟁, 폭동, 사변으로 생긴 손해
▶ 지진 등 천재지변으로 생긴 손해
▶ 핵물질 또는 방사성 물질에 의한 오염손해

질문 22: 개인정보보호배상책임보험 [의무]이 뭔가요?

- **개인정보보호배상책임보험 [보험기간 : 1년]** : 의무보험으로 이용자(고객) 정보를 보유한 사업자는 무조건 가입 (※ **과태료 : 2천만원**)

- **가입대상** : 업종에 관계없이 인터넷·모바일상에 영리목적으로 웹사이트·앱·블로그등을 운영하며 이용자(고객) 정보를 보유한 사업자 모두
    1. 직전 사업연도의 매출액이 **매출액 5천만원 이상**일 것
    2. 전년도 말 기준 직전 3개월간 그 개인정보가 저장·관리되고 있는 **이용자수가 일일평균 1천명 이상**일 것
       [※일일평균 방문자.페이지뷰.순방문자X]

- **최소가입금액** : 이용자수와 매출액 기준으로 최저가입금액 이상을 가입해야 함

이용자수	매출액	최소가입금액(최소적립금액)	이용자수	매출액	최소가입금액(최소적립금액)	이용자수	매출액	최소가입금액(최소적립금액)
100만명이상	800억초과	10억원	10만명↑~100만명↓	800억초과	5억원	1천명↑~10만명↓	800억초과	2억원
	50억↑~800억↓	5억원		50억↑~800억↓	2억원		50억↑~800억↓	1억원
	5천만↑~50억↓	2억원		5천만↑~50억↓	1억원		5천만↑~50억↓	5천만원

- **보장내용**

구분	상세내용	보장내용	보상한도액	공제금액
의무가입	개인정보보호배상책임(Ⅱ()) 보통약관	개인정보유출 등으로 인한 법률상 손해배상금, 방어비용, 손해방지경감비용 등	5천만원~10억중 구간별 선택 가능	최소 100만원 이상
선택가입	신용정보유출등 손해보장	개인정보유출 등으로 인해 해당 정보가 부정하게 사용됨으로써 제3자에게 경제적 손해가 생긴 것에 대한 배상	5천만원~10억중 구간별 선택 가능	미설정 가능
	위기관리실행비용	원인조사비용, 신문/TV 사죄광고 게재비용 등	5백만원~5천만원중 구간별 선택 가능	
	위기관리컨설팅비용	위기관리서비스에 의해 발생한 비용 등		
	과징금보장	피보험자가 처분 받은 과징금 보상	5백만원~1천만원중 구간별 선택 가능	

배상책임

고반물질30은 다모아미디어의 고유자산으로 무단 전제·복제 및 임의 사용시 저작권법 위반으로 5년이하의 징역 혹은 5천만원 이하의 벌금형이 부과됩니다.

질문 23: 전문인배상책임이 뭔가요?

전문인배상책임 : 피보험자가 전문인 자격으로 전문 업무 수행상 과실로 인해 제3자 또는 고객에게 손해를 부담하는 법률상의 손해 배상책임

가입필요성 :
1) 재정적 위험 회피와 위험관리 : 전문인은 자신의 전문적 직무수행에 주의의무가 요구, 이를 태만, 소홀히 하면 당사자로부터 손해배상 청구를 받게 됨
2) 법률환경 및 소비자 권리의식의 변화 : 전문인을 상대로한 소송이 급증   3) 빈번한 대형사고 및 경영의 안정성, 지속성 확보 필요
4) 임직원의 안정적인 직무환경 조성   5) 소비자의 신뢰 제고   6) 전문인의 증가로 인한 위험의 급증

가입대상
1) **의료기관**에 종사 : 의사, 간호사, 간병인, 의료기사, 혈액은행, 조산원, 접골사, 미용사, 안마사   2) **법률기관**에 종사 : 변호사, 변리사, 법무사등
3) **금융기관**에 종사 : 세무사, 회계사, 회사임원, 보험중개인, 보험계리인, 손해사정인, 공인중개사, 감정평가사등   4) **건축관련**에 종사 : 설계 및 감리기술사등
5) **기타 컴퓨터 관련** 전문직종, **방송**, **신문관련 전문직종** 등

소송에 따른 보상내용 :
1) 피보험자 승소시 - 소송관련 비용만 지급   2) 피보험자 패소시 - 손해배상금과 소송 관련비용을 지급

상품특징
1) 전문직업인의 업무 수행 중 과실로 인한 제3자의 손해 배상책임을 보상   2) 법적대응에 필요한 제비용을 보상
3) 분야별 전문직업인에 대한 개별보험 조건 및 맞춤설계가 가능한 보험상품

보상하는 손해

1. 피보험자가 피해자에게 지급할 책임을 지는 법률상의 손해배상금
2. 계약자 또는 피보험자가 지출한 아래의 비용
   가. 피보험자가 손해의 방지 또는 경감을 위하여 지출한 필요 또는 유익하였던 비용
   나. 피보험자가 손해의 배상을 받을 수 있는 그 권리는 지키거나 행사하기 위하여 지출한 필요 또는 유익하였던 비용
   다. 피보험자가 지급한 소송비용, 변호사비용, 중재, 화해 또는 조정에 관한 비용
   라. 보험증권상 보상한도액 내의 금액에 대한 공탁보증보험료
      [그러나 회사는 그러한 보증을 제공할 책임은 부담하지 않음]
   마. 회사의 요구에 따르기 위하여 지출한 비용

보상하지 않는 손해 [면책조항]

영업배상책임보험 면책조항 준용

질문 24: 이·미용배상책임이 뭔가요?

■ 이·미용배상책임
1. 이.미용관련 직업상 과실[두피와 이미용사의 실수]로 인한 사고
2. 타인의 신체와 재물[회사마다 보상여부가 다름]에 피해를 입혀 생기는 손해를 배상

■ 가입대상 : 이 · 미용을 주업으로 하는 이·미용업자

■ 업종의 특성상 화재보험 가입시 아래 담보 참고
1. 재물손해 : 건물, 시설, 집기비품
2. 비용손해 : 화재벌금, 화재배상책임. 구내강도손해, 휴업손해, 업무상과실치사상 벌금등
3. 배상책임 : 시설소유자배상, 이미용배상책임
4. 상해사망, 후유장해, 종업원 상해보험 담보등

■ 주요보상 사례
1. 이·미용사의 실수로 두피에 손상이 있을 경우
2. 이·미용사가 미용 행위를 하는 중 염색약등으로 물건을 훼손한 경우(회사별 차이가 있음)
3. 염색도중 염색약이 손님의 눈에 약품이 들어가서 신체에 피해를 입힌 경우
4. 열파마하다 두피에 화상을 입힌 경우
5. 미용행위를 하던 중 가위등으로 고객의 피부를 손상케 했을 경우등

보상하는 손해
1. 피보험자가 피해자에게 지급할 책임을 지는 법률상의 손해배상금
2. 이·미용실 구내에서 본인/종업원의 직업상 과실로 타인의 신체에 법률상 배상책임을 지는 경우
3. 기존 시설소유자 배상책임에서는 이·미용상의 배상책임은 보상하지 않음
4. 원장이 가입하면 종업원의 직업상 과실도 보상 가능

보상하지 않는 손해 [면책조항]

※ 법령에 의해 금지된 행위 (의료행위 및 유사의료행위)
1. 이·미용실에서 에서 피부관리와 네일케어를 하다 생긴 손해
2. 이·미용실에서 에서 얼굴마사지를 하다 생긴 손해
3. 이·미용실에서 점빼기, 귓볼뚫기, 쌍꺼풀수술, 문신, 박피술등을 하다 생긴 손해

배상책임

질문 25 : 보관자배상책임이 뭔가요?

- **보관자배상책임** : 손님의 물건을 보호, 관리, 통제 [원인에 관계없이 모든 형태의 실질적인 통제행위 포함]하는 재물이 손해를 입은 손해를 배상

- **가입대상** : 손님의 물건을 보호, 관리, 통제해야 하는 보관을 수반하는 업종들
  1. **직접적으로 수탁물을 관리**하는 업체 : ① 세탁소 ② 주차장관리업 ③ 수리점 ④ 정비업소 ⑤ 세차장등
  2. **간접적으로 수탁물을 관리**하는 업체 : ① 골프장 ② 음식점 ③ 목욕탕 ④ 이미용실 ⑤ 숙박업소등

- **보상한도 및 면책금액**
  1. 보험사별로 조금 상이한데 보상한도를 500만원 ~ 2천만원, 면책금액을 일부(30만원~100만원) 설정함
  2. 보험사별로 인수를 금지하거나 보상한도를 제한하는 회사가 다수 있을 수 있음

- **주요보상 사례** : 모두 보관자의 보호, 관리, 통제 책임이 필요한 물품
  1. **음식점**의 **신발**을 **파손, 분실** 한 경우
  2. **미용실**에서 손님의 옷을 **옷장**에서 꺼내다 **찢어진** 경우
  3. 미용실에서 **염색약**으로 손님의 옷에 **변색**되게 한 경우
  4. **세탁소**의 **세탁물**이나 **골프연습장**에서의 **골프채 파손**의 경우

보상하는 손해

피보험자가 소유, 사용 또는 관리하는 시설 및 그 시설의 용도에 따른 업무의 수행으로 생긴 사고로 피보험자가 보호, 관리, 통제 [원인에 관계없이 모든 형태의 실질적인 통제행위를 포함]하는 타인의 재물에 손해를 입힘으로써 그 재물에 대한 손해를 배상

보상하지 않는 손해 [면책조항]

1. 보관물에 대한 도난, 분실 손해
2. 지진, 분화, 홍수, 해일 또는 이와 비슷한 천재지변으로 생긴 손해
3. 귀금속, 돈, 모피코트(세탁소), 가축류 등에 생긴 손해
4. 재물의 하자, 자연소모 또는 성질로 인한 발화, 폭발, 뜸, 곰팡이, 부패, 변색, 향기의 변질, 녹과 기타 이와 유사한 사고로 생긴 손해
5. 물건의 인도 또는 배달착오, 분실, 좀도둑 또는 감량으로 생긴 손해 (음식점에서 물건 분실한 경우: 면책)
6. 피보험자의 종업원의 소유, 사용하는 물건에 생긴 손해 [주인, 종업원은 면책]

질문 26: 차량정비업자배상책임이 뭔가요?

- **차량정비업자배상책임** : 피보험자가 소유·사용·관리하는 차량정비시설 및 그 시설의 용도에 따른 **차량정비업무(정비를 목적으로 하는 차량을 수탁·인도하는 과정을 포함)**의 수행으로 생긴 우연한 사고를 보상 [※손해보험사별 보장범위가 다름]

- **가입대상** : 검사장, 경정비업소, 자동차정비, 수리, 인테리어업(자동차썬팅,자동차광택/코팅,자동차용품장착,자동차타이어장착,자동차용품판매등)

- **가입시 요율 적용 및 필요서류** :
  ① 보험료 산출기초[면적] : 정비업과 관련된 피보험자 관리하의 대지 및 연면적의 총합계
  ② 차량정비업소에 설치되어 있는 자동세차기는 시설소유관리자특약의 자동세차기 요율 적용
  ③ 보험가입시 필요서류 : 질문서 [보험회사 소정양식], 자동차관리 사업자 등록증

- **차량정비업자 배상책임 Ⅰ** : 정비사업장 **실내**에서만 발생하는 **대물사고만** 보상 [※대인사고는 면책]
- **차량정비업자 배상책임 Ⅱ** : 정비사업장 **실내 & 실외**에서 발생한 **대인·대물사고** 보상

보상하는 손해

구분	배상사고
시설 내 배상책임 [차량정비업자배상책임 Ⅰ]	사업장 내에서 정비업소 사업주 또는 피고용인이 차량정비를 위해 차량 이동중 ① 시설내 다른 차량과의 충돌로 인한 상대차량의 파손 및 운전자, 승객의 신체상해 ② 고정된 시설물과의 충돌로 차량파손등 여타 재물의 손상 ③ 리프트 결함 및 주차장 센서 오작동으로 인한 차량 손해 ④ 정비수탁중인 차량의 도난
시설 외 배상책임 [차량정비업자배상책임 Ⅱ]	사업장 외에서 정비업소 사업주 또는 피고용인이 시운전, 인수, 인계중 발생하는 대인·대물사고
사업장 화재손해	① 사업장 내 화재로 인한 사업장 건물, 사업장내 시설, 장치, 집기비품등 대인·대물사고 ② 화재시 정비 수탁중인 고객의 차량손해

보상하지 않는 손해 [면책조항]

1. 피보험자의 **종업원 이외의 사람**이 허락을 받아 차량을 **운행**하던중 **사고**는 면책 2. 피보험자나 피고용인들의 **업무상 과실**로 인한 손해
3. **이륜자동차**의 **도난**으로 생긴 손해 4. **자연마모, 결빙** 5. 차량에 부착한 고정설비가 아닌 **차량내에 놓아둔 물건**의 손해
6. **타이어**나 **튜브**에만 생긴 손해 또는 **일부 부분품, 부속품**이나 **부속기계장치만**의 도난으로 생긴 손해 7. **렌트비등 간접비용**

배상책임

질문 27: 산후조리원배상책임 [의무]이 뭔가요?

- **산후조리원배상책임** : 의무적으로 2가지보험을 동시에 가입해야 함 ① 산후조리원배상책임   ② 다중이용업소화재배상책임 : 둘다 의무보험

- **가입대상** : 산후조리원, 조산원등

- **책임보험 의무가입** : 2015년 10월 29일부터 [모자보건법 제15조의15(손해배상책임의 보장)]
  산후조리업자는 산후조리원 이용으로 인한 감염 등으로 이용자에게 손해를 입힌 경우에는 그 손해를 배상할 책임이 있으며, 손해배상책임을 보장하기 위해 책임보험에 가입하여야 함

내용		가입금액
대인사고	사망	① 이용자 1명당 1억원 범위 (단, 손해액이 2천만원 미만시 2천만원)
	감염 또는 부상	② 이용자 1명당 2천만원 범위
	후유장해	③ 이용자 1명당 1억원 범위
	하나의 사고로 둘 이상의 손해를 입힌 경우	감염 또는 부상당한 이용자가 치료중 그 감염 또는 부상이 원인이 되어 사망한 경우, 이용자 1명당 해당금액을 각각 더한 금액 (①+②)
		감염 또는 부상당한 이용자에게 후유장해가 생긴 경우, 이용자 1명당 해당금액을 각각 더한 금액 (②+③)
		후유장해 손해액을 받은 이용자가 후유장해가 원인이 되어 사망한 경우, 이용자 1명당 사망 손해액에서 후유장해 손해액중 사망한 날 이후에 해당하는 손해액을 뺀 금액(①-③중 사망한 날 이후 해당 손해액)
대물사고		1사고당 1억원 [자기부담금 10만 / 30만 (4%할인) / 50만 (8%할인)]

- **책임보험 미가입시** : 1차 위반 - 업무정지 15일, 2차 위반 - 업무정지 1개월, 3차 위반 - 폐쇄명령

- **요율 적용시 유의할 점** : 산후조리원, 조산원인지 정확하게 파악후 '면적'으로 보험료 산출 [※ 요율이 달라지면 면책]

- **보험료 [면적으로 산출]**
  : 대인·대물 각각 1억(자기부담금 각각 10만원)기준시 , 산후조리원+시설소유자배상책임 = 평당 약1만원수준

질문 28: 옥외광고사업자 배상책임보험 [의무]이 뭔가요?

21년6월10일부터 의무화!!!

옥외광고사업자(제조,판매,공급,시공)가 옥외광고물로 인해 우연히 발생하는 손해에 대한 배상책임을 담보

■ **가입대상** : 벽보·전단을 제외한 모든 옥외광고물 및 그 게시시설

■ **보상한도** : ① 대인배상 : 사망/부상/후유장해 [1억5천만/3천만/1억5천만] ② 대물배상 : 1사고당 최고 3천만원 ※ 자기부담금 : 사고당 30만원(기본)

■ **과태료**
  - 30일이하 : 1만원 초과 10만원 이하 . 1일 3천원씩
  - 30일초과 90일 이하 : 10만원 초과 70만원 이하. 1일 1만원
  - 90일초과 : 70만원 초과 **500만원** 이하. 1일 2만원
  ※ 과태료 1일 가산액은 자치단체별로 상이할 수 있음

■ **담보내용** ① 손해배상금 ② 손해방지비용 ③ 소송비용 ④ 공탁보증보험료

■ **필요서류**
  ① **옥외광고 사업자등록증** ② **매출증빙서류** : 개인사업자 [부가가치세표준증명원(직전년1월~12월) / 법인사업자 [표준재무제표 또는 손익계산서(전년1년분)]
  ③ **설문서** : 보험사에서 제공하는 설문서 양식작성과 도장날인 ④ **기타** : 회사 "총"매출중, "옥외광고매출"금액이 25%미만으로 작성할 경우 매출증빙을 별도로 해야함.
  최소 25%이상 적을 경우 ①~③번 서류만 준비하면 됨

■ **주요 보험사고**
  ① **옥외광고물 제조물위험** : 피보험자가 제조,판매,공급한 보험증권에 기재된 "옥외광고물"이 타인에게 양도된 후 보험기간 중에 그 옥외광고물로 생긴 우연한 사고
    ※ 단, 피보험자가 실질적으로 점유하는 옥외광고물로 생긴 우연한 사고는 제외
  ② **옥외광고물 작업위험** : 피보험자가 제조,판매,공급한 보험증권에 기재된 "옥외광고물"이 타인에게 양도된 후 보험기간 중에 그 옥외광고물로 생긴 우연한 사고중
  옥외광고물 시공 작업(표시,설치,해체,수리,점검 및 보수작업을 포함하며, 이하 작업이라 합니다)으로 인한 사고

배상책임

고반물질30은 다모아미디어의 고유자산으로 무단 전제·복제 및 임의 사용시 저작권법 위반으로 5년이하의 징역 혹은 5천만원 이하의 벌금형이 부과됩니다.

질문 29: 맹견사고배상책임 [의무]이 뭔가요?

21년2월12일부터 의무화!!!

| 동물보호법상 맹견은? | 도사견 | 아메리칸 핏불테리어 | 아메리칸 스테퍼드셔 테리어 | 스테퍼드셔 불테리어 | 로트와일러 |

- **가입대상** : 1.도사견 2.아메리칸 핏불테리어 3.아메리칸 스테퍼드셔 테리어 4.스테퍼드셔 불테리어 5.로트와일러 * 그외 해당 종의 잡종견

- **필요서류** : ① 동물등록증 ② 맹견 생년월일 ③ 맹견 사진 (앞.옆.얼굴 등)

- **보험가입** : ① 기본계약 : 마리당 1년치 보험료 : 1.5만~2만원내외 ② 기본+선택특약 : 의료비가 포함된 반려동물 펫보험에 추가

- **판매보험사** : ① 하나손해보험 ② 농협손해보험 ③ 삼성화재 ④ 기타 손해보험사 : 향후 판매 예상

- **보상한도** : ① 법정가입금액 : 1) 대인배상 : 사망/부상/후유장해 [8천만/1500만/8천만] 2) **다른동물상해 : 200만원**

- **과태료** : 1차 100만원 / 2차 200만원 / 3차 **300만원** 이하의 과태료 부과 : 해당지역 **시.군.구**에서 **과태료 부과**

- **법적책임** : 안전조치의무 위반 또는 맹견관리의무 위반
  ① **사망**시 : **3년이하**의 **징역** 또는 **3천만원이하**의 **벌금** ② **상해**시 : **2년이하**의 **징역** 또는 **2천만원이하**의 **벌금**

- **기타 참고사항**
  ① 소유자 및 보호자 연간 3시간 이상 정기교육 이수 [의무] ② 의무교육 미이수 과태료 300만 ③ 외출시 일반견 목줄 미착용, 배설물 미수거 벌금 50만원
  ④ 동물 미등록시 벌금 100만원 ⑤ 밖으로 나갈 수 있는 사람의 연령제한[만14세이상 가능] ⑥ 맹견외출시 목줄 및 입마개 미착용 벌금 300만원

고반물질30은 다모아미디어의 고유자산으로 무단 전제·복제 및 임의 사용시 저작권법 위반으로 5년이하의 징역 혹은 5천만원 이하의 벌금형이 부과됩니다.

질문 30

일상생활/가족생활/자녀배상책임이 뭔가요?

배상책임보험_비교

구분		담보내용설명
배상책임	일상생활 배상책임	보험기간 중 **피보험자(본인,동거중인 배우자)**가 보험가입증서에 기재된 **주택의 소유,사용,관리** 또는 일상생활 중에 기인한 **우연한 사고**로 타인의 신체장해 또는 재물손해에 대한 법률상의 책임 (자기부담금 : **대물 1사고당 20만 공제**)
	가족일상생활중 배상책임	보험기간 중 피보험자(**본인,배우자,생계같이하고 주민등록상 동거중인 친족**)가 보험가입증서에 기재된 **주택의 소유,사용,관리** 또는 일상생활 중에 기인한 **우연한 사고**로 타인의 신체장해 또는 재물손해에 대한 법률상의 책임 (자기부담금 : **대물 1사고당 20만 공제**)
	자녀 배상책임	보험기간 중 **피보험자(자녀)**가 보험가입증서에 기재된 **주택의 소유,사용,관리** 또는 일상생활 중에 기인한 **우연한 사고**로 타인의 신체장해 또는 재물손해에 대한 법률상의 책임 (자기부담금 : **대물 1사고당 20만 공제**)

보상한도 : 1사고당 1억원 한도

자기부담금 :

가입시점	자기부담금_대인	자기부담금_대물
2007. 10. 1 이전	사고당 2만원	
2007. 10. 1 ~ 2020. 3. 31	없음	사고당 20만원
2020. 4. 1 이전	없음	사고당 20만원(누수배상 50만원)

자기부담금 보험금 지급 예시

Q : 50만원 '대물'사고로 부부가 각각 자부담 20만원씩 가입하고 있다면 지급보험금은?
A : 보험금 : 자부담 10원도 부담하지 않고 '50만원 전액 수령' 가능 [※ 부부 각각 25만원씩 비례보상]
① 남편 : 50만원 X 30만원 / 60만원 = 25만원   ② 아내 : 남편 : 50만원X30만원/60만원 = 25만원. 비례보상 합계(①+②) = 50만원
※ 비례보상 계산방법 = 상대방피해액 X 각 계산한 보상금액 / 각각 계산한 보상금액 합계

고반물질30은 다모아미디어의 고유자산으로 무단 전제·복제 및 임의 사용시 저작권법 위반으로 5년이하의 징역 혹은 5천만원 이하의 벌금형이 부과됩니다.

고객이 반드시 물어보는 질문 30가지
고반물질30
ver.20211101

태블릿앱 + 스마트폰앱 + 북 [손보·생보 각2권]

고반물질30_정의

보험세일즈북의 '실전편'

- 기존 보험세일즈북 : 보험세일즈의 교과서_이론편 [총160페이지]
- 고반물질 30 : 보험세일즈북의 참고서_실전편 [총500가지 질문]
  - 보험영업사원들이 24시간 언제, 어디서든 학습을 통해 생·손보 상품 총16개를 학습함으로써 생보출신이든 손보출신이든 원수사 조직이든 GA조직이든 보험의 전반적인 지식 체득 가능

고반물질30_구성   앱[스마트폰·태블릿] & 북[4권]

총16개과목 [손보8개+생보8개] : "총500개_교육동영상"

- 손해보험 [8개] : 260가지 질문
  ① 자동차보험(30개) ② 운전자보험(30개) ③ 의료실비보험(30개) ④ 화재보험(50개)
  ⑤ 배상책임보험(30개) ⑥ 암보험(30개) ⑦ 뇌·심·다빈도질병보험(30개) ⑧ 골프보험(30개)
- 생명보험 [8개] : 240가지 질문
  ① 종신·정기·CI보험(30개) ② 변액보험(30개) ③ 연금·저축보험(30개) ④ 단체보험(30개)
  ⑤ 간병보험(30개) ⑥ CEO플랜(30개) ⑦ 상속·증여(30개) ⑧ 치아보험(30개)

고반물질30_이용방법

플레이스토어 or 앱스토어 실행
=> "고반물질30" 검색
=> 다운로드 => 열기

- 고반물질30 앱은 구매후 사용 가능하며 구입문의는 뒷면 연락처로 문의 바랍니다.

고반물질30_샘플동영상

의료실비보험 질문07   CEO플랜 질문12   암보험 질문01

고반물질30은 동영상(태블릿 or 스마트폰)+교재(book)로 반복 학습하셔야 효과를 극대화 하실 수 있습니다

고객이 반드시 물어보는 질문 30가지

 **고반물질30** _ 손해보험 1편

초판 1쇄 2020년 11월 15일
4 판 1쇄 2024년 05월 15일

지 은 이	이은석
발 행 인	조미경
디 자 인	다모아미디어
편 집 장	이영필

발 행 처	다모아미디어
주 소	울산광역시 남구 왕생로 45번길 10, 다모아빌딩
문의전화	010-4687-4930
홈페이지	www.damoamedia.com
출판신고번호	제 2020-000015호 | 신고일자 2020년 9월 29일

ISBN
ISBN

잘못된 책은 바꾸어 드립니다.

이책은 저작권법에 따라 보호받는 저작물이므로 무단 전재와 무단 복제를 금하며,
책 내용의 전부 또는 일부를 이용하려면 반드시 다모아미디어와 저작권자의 동의를 받아야 합니다.